Liette Gaucher

À L'ÉCOUTE DE SA VIE

CONCEPT SANTÉ

Dépôt légal, 2e trimestre 1979.
Bibliothèque nationale du Québec.
Bibliothèque nationale du Canada.

ISBN-2-7601-0075-8

Photos: Mia et Klaus
Typographie et conception graphique
réalisées par Typo-Folio Inc.

ISABELLE DELISLE LAPIERRE

À L'ÉCOUTE DE SA VIE

CONCEPT SANTÉ

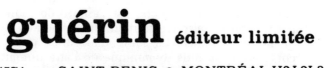

guérin éditeur limitée

4574, rue SAINT-DENIS • MONTRÉAL H2J 2L3

INTRODUCTION

L'idée d'écrire un ouvrage sur la santé m'est venue après avoir travaillé au Chili pendant neuf ans et enseigné les concepts "santé-maladie" à des étudiantes infirmières pendant quelques sessions.

La santé étant un concept assez abstrait qui ne crée pas d'image dans l'esprit des étudiants, il est donc temps de parler de la santé d'une façon concrète en faisant appel à nos expériences, à notre mode de vie et à notre siècle. Les concepts "santé-maladie" se situent au niveau du succès ou de l'échec expérimenté par l'homme dans ses efforts pour s'adapter à l'environnement.

L'adaptation au milieu signifie: la santé, le succès, et l'inadaptation: l'échec et la maladie. Ce processus bio-psycho-socio-spirituel diffère avec chaque personne. L'agent de santé a un rôle de facilitateur auprès de l'individu, de sa famille, et de son groupement social. Ces concepts ont des résonnances sociales et communautaires de plus en plus grandes. Ils supposent l'établissement d'une médecine sociale qui exige une participation constante des individus formant la société.

Dans cette nouvelle optique, la "santé" signifie le succès, la possibilité de s'adapter harmonieusement au milieu ambiant.

Quelle est l'origine du mot "santé"?

Le mot "santé" tire son origine des mots "salut", "salutation". Dans toutes les langues, les souhaits de "bonne santé" sont des souhaits de vie.

Dans cette adaptation de l'homme à son milieu, "L'agent de santé" aide l'individu à répondre à ses besoins. Pour se faire, il doit se connaître, connaître les dimensions de la personne humaine et son milieu ambiant. Il n'y a pas si longtemps, on définissait la santé par une absence de maladie. C'est une définition bien courte et peu positive pour un concept aussi vaste, dynamique et énergétique que la santé.

Il serait prétentieux de vouloir définir la santé dans une courte phrase, puisqu'elle est l'affaire de toute une vie. On la perd et on la retrouve toujours modifiée aux différentes étapes de notre existence. La santé n'est donc pas statique. C'est la composante la plus dynamique de l'être humain. Elle implique des changements, des progrès et des conflits continuels. C'est ce qui fait les hauts et les bas de notre situation dans notre continuum de vie.

Aujourd'hui, une nouvelle conception de la santé nous amène à la définir positivement en termes d'harmonie et d'équilibre de l'être bio-psycho-socio-spirituel que nous sommes et à nous centrer sur l'individu et ses besoins. La santé, tout comme l'être humain, est une entité bio-psycho-socio-spirituelle. On peut en disséquer les parties et les étudier, mais on ne peut, à la toute fin, les séparer. Un être dit en santé est un être adapté à ses forces et à ses limites.

Devant ces changements des plus positifs pour l'avenir de nos sociétés, il nous paraît important, dans les différentes parties de cet ouvrage, de fixer notre attention dans une première démarche, sur la connaissance de l'être humain et de son milieu, sur ses *besoins,* afin de favoriser son adaptation dans la société.

Si cette démarche est bien intégrée, l'individu pourra par la suite entreprendre une action positive dans le milieu. En vivant lui-même pleinement, il orientera son action pour améliorer la qualité de vie, afin de promouvoir la santé, la sauvegarder et devenir un véritable agent de la santé dans son milieu. Si cet agent de la santé a choisi d'évoluer dans le nursing contemporain, il développera des attitudes et des comportements qui lui permettront d'exercer un nursing humain, dynamique, professionnel, à portée scientifique et ouvert à de nouvelles prospectives d'avenir.

Nous espérons que ce projet vous rejoindra, car la santé c'est votre affaire et c'est votre art de vivre. Nous souhaitons qu'àprès avoir lu cet ouvrage, vous vous fassiez le promoteur de la santé dans votre milieu.

L'élaboration de ce projet a demandé plusieurs années de réflexion et il a pris forme à la suite d'expériences vécues avec différents groupes d'étudiants en techniques infirmières.

Au début d'une session de quinze semaines visant à développer le CONCEPT SANTÉ, plusieurs étudiants expriment leurs attentes. Ils s'interrogent. Qui est le client? Quels sont ses besoins? Qui suis-je, moi, pour répondre à ses besoins? Quelles sont mes possibilités? Comment vais-je les exprimer?

Plusieurs s'intéressent davantage à la maladie; la santé est loin de leur préoccupation. Ce n'est pas une mince tâche pour le professeur qui doit sensibiliser ses étudiants à ce Concept si vaste qu'est la santé.

Afin de favoriser une réflexion et une compréhension de soi pour arriver à mieux comprendre l'autre et exercer un nursing intelligent et humain qui s'ouvre sur un épanouissement personnel désirable, cette session s'appuie sur cinq pivots:

— Philosophie du nursing — Besoins fondamentaux de l'être humain — Communication humaine — Principes scientifiques des soins — Plan de soins.

Philosophie: La santé se définissant en termes d'harmonie et d'équilibre, l'infirmier(ère) se penche principalement sur l'équilibre à rétablir dans l'organisme de son client, en analysant tous les facteurs internes et externes qui agissent sur lui. À partir de cette connaissance, il lui est possible d'établir une relation d'aide efficace avec un être pourvu de toutes ses composantes: biologiques, psychosociales, spirituelles.

Deux mots clefs: PROMOTION et PRÉVENTION règlent les objectifs généraux.

Quels sont ces objectifs?

—Intensifier sa démarche personnelle dans le domaine de la santé (promotion prévention)
—Connaître les besoins fondamentaux de l'être humain.
—Identifier le processus d'adaptation de l'homme, de la naissance à la vieillesse.
—Reconnaître les facteurs qui affectent les besoins de santé de l'être humain.
—Considérer la totalité des besoins dans la planification des soins.

Contenu théorique

Dans une première démarche, après avoir défini le mot santé, l'étudiant(e) est amenée à étudier le contexte social dans lequel il vit et à se familiariser avec les notions scientifiques suivantes: Théorie de Maslow sur les besoins fondamentaux; théorie de l'adaptation (René Dubos); théorie du stress (Dr Selye) réflexions sur l'homme et son environnement (Bombart).

Les étudiants arrivent à se poser la question suivante: Devant l'ampleur de la pollution, l'homme survivra-t-il à sa civilisation? Que peut-il faire s'il choisit la vie?

Après l'étude d'une théorie spécifique l'étudiant aura à rédiger un travail qui lui permettra d'approfondir davantage sa démarche de santé et à être un éveilleur de conscience pour les autres.

Parmi les différents facteurs biologiques et socio-culturels susceptibles d'influencer le niveau de santé de l'individu, l'étudiant apprendra que *l'hygiène alimentaire* est de base et que la nutrition nous relie au milieu vivant auquel nous participons.

Quand l'étudiant(e) abordera *l'hygiène mentale* il étudiera ses attitudes face à lui-même et face aux autres, leurs effets sur leur état de santé et leurs comportements. Il prendra conscience des programmations négatives enregistrées dans le subconscient et comment les rendre positives. L'expérimentation en laboratoire de la relaxation physique, mentale et émotionnelle est un instrument précieux pour apprendre à se détendre et à se libérer de certaines béquilles médicamenteuses qui favorisent la détente artificielle sans réduire la cause de la tension.

Une étude théorique sur la relation d'aide (Lucien Auger) permet à l'étudiant(e) d'entrer plus facilement en contact avec son client et à poser les bonnes questions. L'étude de l'anatomie de la communication dans son expression verbale et non-verbale vient faciliter cette interrelation infirmier-client.

Les étapes de solution de problèmes permettent à l'étudiant de développer le sens de l'analyse et à s'appuyer sur des principes scientifiques pour résoudre ses problèmes.

La connaissance des institutions et programmes qui favorisent la qualité de l'environnement plongent l'étudiant (e) dans la réalité des facteurs qui influencent l'état de santé de la collectivité.

Un regard sur l'évolution de la médecine à travers les siècles et de l'évolution de la profession d'infirmière en Amérique permet de saisir toute la portée de *l'acte infirmier* lequel motive l'activité de cette session.

Des conférences sur les soins à domicile, l'hygiène publique, les organismes professionnels et les implications légales viennent compléter ce tour d'horizon.

Je remercie spécialement tous ceux qui m'ont encouragée et stimulée à la rédaction de cet ouvrage. J'espère qu'il sera un instrument précieux entre les mains de tous ceux qui l'utiliseront.

TABLE DES MATIÈRES

DEUXIÈME PARTIE

ENTREPRENDRE UNE ACTION POSITIVE DANS LE MILIEU

TROISIÈME PARTIE

EVOLUER DANS LE "NURSING" CONTEMPORAIN

A l'écoute de ma vie

SE CONNAÎTRE
CONNAÎTRE L'HOMME ET SON MILIEU

À tous ceux qui désirent vivre en santé
et qui travaillent à la promouvoir

Il existe en nous un Principe de Vie qui
ne connaît ni la peur, ni le doute ni aucune
limite. Il nous guide dans le succès, l'harmonie, la paix, la joie et la certitude.

Laissons ce Principe de Vie nous restau-
rer une santé parfaite, au point de vue physique, psychologique, mental et spirituel.

Dans cette première partie, nous aurons donc comme objectif:

Se connaître, connaître l'homme et son milieu

PRINCIPES DU CONCEPT SANTÉ:

Chapitre 1
Nos habitudes de vie
Les habitudes de vie influencent l'état de santé de l'individu.

Chapitre 2
Notre potentiel énergétique
La santé est dépendante du potentiel énergétique conféré par les chromosomes hérités de ses parents et de l'utilisation de ce potentiel énergétique dans le milieu ambiant.

Chapitre 3
Nos rythmes biologiques
Nos rythmes biologiques sont étroitement liés à l'état émotionnel de l'organisme et au degré d'activité physique et intellectuelle.

Chapitre 4
Nos besoins fondamentaux
Les besoins fondamentaux de l'homme exigent d'être satisfaits pour le développement harmonieux de tout son être

Chapitre 5
Nos facteurs d'adaptation
La capacité d'adaptation est un facteur d'équilibre pour la santé de l'individu.

Chapitre 6
Apprendre à communiquer
La communication est nécessaire pour satisfaire aux fonctions vitales de l'être bio-psycho-socio-spirituel que nous sommes. C'est un processus dynamique de la naissance à la fin de sa vie.

CHAPITRE PREMIER

1.0 Nos habitudes de vie

1.1 L'importance que nous donnons à notre alimentation

1.2 Lien entre santé et comportement

1.3 La santé de l'enfant est dépendante de sa constitution génétique

1.4 L'attitude positive et l'utilisation des aliments vivants

1.5 Questionnaire

1.6 Travail personnel

1.0   NOS HABITUDES DE VIE

Un document de travail sur la santé, publié par le ministère de la Santé nationale et du Bien-être canadien a mis en évidence l'influence du mode de vie sur la santé.

La façon dont nous vivons a une influence marquée sur notre vulnérabilité à certaines maladies.

La montée des grandes maladies dégénératives telles que: le cancer, les maladies cardio-vasculaires, le diabète, le rhumatisme, etc... ne nous fait-elle pas prendre conscience de l'importance de changer nos habitudes si nous voulons vivre en santé?

Qu'est-ce qu'une habitude?

Le petit Larousse nous donne la définition suivante: "disposition acquise par des actes répétés". Ce serait donc une manière de vivre c'est-à-dire de penser et d'agir: nous pouvons donc établir un lien entre *manière de vivre et santé.*

Par exemple: J'ai le goût de la cigarette et je satisfais ce désir en répondant au stimulus. Un autre a l'habitude du gin, il lui faut ses trois verres par jour; la répétition de cet acte peut l'amener à devenir alcoolique en quelques mois.

Un bon monsieur se fait soigner pour le coeur, il rencontre son médecin et lui demande des médicaments pour régulariser son rythme cardiaque. Ce bon monsieur de 230 lbs est déconcerté de s'entendre dire qu'il a besoin de faire plus d'exercice, d'utiliser moins l'élévateur et de se servir davantage de ses jambes, d'équilibrer ses dépenses énergétiques avec son alimentation. Il accepte difficilement de ne pas dépendre de sa boîte de pilules: c'est la loi du moindre effort.

Si nous prenons le temps d'observer dans un restaurant les personnes obèses et de regarder discrètement ce qu'elles ont dans leur assiette, qu'est-ce que nous y trouverons? Des féculents en abondance: patates frites, pizza, spaghetti, etc... Ne sont-elles pas en agression constante contre leur organisme?

1.1   L'IMPORTANCE QUE NOUS DONNONS À NOTRE ALIMENTATION

Ne sommes-nous pas du nombre de ceux qui mangent sur le pouce sans nous soucier de ce qui est bon pour notre système et sans prendre le

A la recherche d'aliments vivants

temps de bien mastiquer nos aliments afin de favoriser une meilleure digestion?

Nous sommes un ensemble de matière et d'énergie qui a exigé le concours de deux êtres, le père et la mère. Ce système organisé que nous sommes peut à son tour en produire d'autres. Mais pour mener à bien cette oeuvre de reproduction, deux éléments sont essentiels:

Un **vouloir vivre** et un **savoir vivre.**

La cellule qui est apte à être fécondée a besoin d'un terrain propice à son développement. Elle exigera quelques fois des changements *radicaux* dans les habitudes de vie des futurs parents.

Quelles seront ces exigences de vie?

La vie sait ce qui lui convient. Aussi faut-il être constamment à l'écoute pour abonder dans son sens. Si nous observons une plante, nous voyons qu'elle s'incline vers la lumière; si notre désir de vivre en santé est de même nature que ce qui pousse les plantes vers le soleil, nous organiserons notre vie en conséquence. Si nous mangeons mal, si nous ne faisons aucun exercice physique, si nous consommons des drogues sous quelque forme que ce soit, médicaments inutiles, boissons alcooliques, hallucinogènes, si nous ne dormons pas suffisamment, *nous n'avons pas tant besoin de thérapeute que d'éducation?*

Quelle sorte d'éducation?

C'est à travers nos différents comportements que nous choisissons ce que nous sommes. Nous pouvons choisir l'équilibre, l'harmonie, au point de vue physique, psychologique, social et spirituel, ou le déséquilibre. Selon le choix que nous faisons, nous adoptons alors des comportements qui répondent à nos exigences.

1.2   LIEN ENTRE SANTÉ ET COMPORTEMENT

La santé serait-elle donc reliée à un comportement? Un comportement est une réponse à un stimulus.

Exemple: J'aime la cigarette, il me faut mon paquet par jour. La répétition de cet acte m'amène à créer chez moi une habitude dont il m'est impossible de me passer. Si je manque de cigarette, je deviens nerveux, insupportable. Il en est de même de nos habitudes alimentaires.

Avons-nous pris conscience de l'importance de l'alimentation dans notre évolution physique et psychique? Et pourtant que de maladies pourrions-nous éviter, si nous avions le courage de faire les efforts nécessaires pour changer nos habitudes alimentaires.

Plusieurs maladies dégénératives, comme le cancer, produisent une rupture de l'équilibre cellulaire: c'est la vie de la cellule qui est en jeu. Les fautes d'hygiène répétées pendant des années nous conduisent à des aberrations du métabolisme cellulaire qui nous amène prématurément à la sénilité.

Cette sénilité survient en raison de la perte de vitalité du tissu conjonctif, donc de la dégradation du mécanisme d'élimination des toxines qui s'accumulent ainsi dans les cellules conjonctives, produisant alors un affaiblissement du corps et de l'esprit.

Si nos aliments sont bien choisis, nous n'aurons pas besoin d'une grande quantité d'aliments pour nous maintenir en santé. Si nous prenions le temps d'analyser la valeur nutritive de tous les légumes ou fruits que nous pouvons consommer, nous serions étonnés d'y découvrir tous les éléments préventifs de différentes maladies. Prenons comme exemple la *pomme* que nous retrouvons en abondance dans notre contrée. Elle est riche en sels minéraux, en potasse, en silicium, en chaux, en magnésium, en chlore et en vitamines; elle a une action diurétique; elle draine les voies intestinales, urinaires, pulmonaires. Elle est recommandée aux arthritiques. Elle aide à la digestion et combat la constipation. Si la pomme est mangée avec la pelure, elle est plus efficace car cette dernière favorise sa digestion.

Si nous continuons d'observer la nature et que nous nous arrêtons à une ruche d'abeilles, n'est-ce pas merveilleux de voir des nymphes d'abeilles asexuées devenir des reines procréatrices et ceci par le simple changement de la nourriture ordinaire des nymphes d'ouvrières en une bouillie royale, aliment des futures reines? Devant cette métamorphose, ne sommes-nous pas en droit de vouloir apprendre "La Vie"? À être conscients de nos comportements et à les choisir?

Le Dr Jean Trémolières, biologiste français, traduit comportement par "porter ensemble" quand il parle du système comportemental et il distingue deux secteurs de ce système:

1.2.1 Le secteur neuro-endocrinien qui est une machine régulatrice de l'organisme ajustant les niveaux de fonctionnement de cet organisme aux décisions comportementales devant les stimuli extérieurs (par feedback). Exemple: Nous voyons de belles pâtisseries, le stimulus qui nous pousse à aller les chercher est fort et la réponse serait de les manger. Si nous les mangeons tout un mécanisme entrera en fonction: ce sera le mésocéphale, le système nerveux végétatif et les glandes endocrines. Le système neuro-endocrinien est donc l'exécuteur physiologique et physico-chimique du comportement. Il règle les activités métaboliques cellulaires de façon à les ajuster dans l'organisme aux demandes fonctionnelles des décisions comportementales. Ces transformations qui ont lieu dans la cellule peuvent exiger un travail ardu si je suis un gourmet et un gourmand.

1.2.2 Le secteur mésocéphale: secteur du cerveau dit cortical, regroupe tous les secteurs corporels, y compris le système neuro-endocrinien. Ce secteur central du comportement s'applique aux relations avec les aliments, le milieu, les choses, les autres, avec soi-même éveillé ou en rêve.

Un changement d'habitudes de vie incite nécessairement à une modification de nos comportements. Je viens de rencontrer, Louise, qui désire devenir mère et a pris conscience de ses habitudes de vie, acceptant de faire les changements appropriés. Elle vient d'arrêter de fumer. Elle adopte un régime équilibré selon ses besoins énergétiques. Elle fait régulièrement les exercices physiques qui lui aident à se tenir en forme et à se détendre. Son mari, Pierre, la seconde dans ces changements en apportant lui aussi les correctifs qu'il a jugé bon pour améliorer sa propre santé. Il a adopté de nouvelles habitudes alimentaires, il a cessé de prendre son petit gin chaque jour et s'efforce de prendre le repos qui lui est nécessaire, choses qui concourent à améliorer son état général.

Ils veulent un enfant sain et ils se préparent en mettant toutes les chances de leur côté. Après quelques mois de ce régime de vie, tous deux se sentent en forme. Ils vivent relaxés et attendent avec impatience la conception de leur premier-né.

Aujourd'hui, le moment tant désiré est arrivé: la cellule reproductrice vient d'être fécondée. Cette cellule mère élaborera tous les éléments constitutifs du futur être vivant: elle portera en elle tous les caractères spécifiques de l'être qui en émergera.

1.3   LA SANTÉ DE L'ENFANT EST DÉPENDANTE DE SA CONSTITUTION GÉNÉTIQUE

Pendant ses neuf mois de vie utérine, l'être en devenir acquiert un capital génétique représentant la santé potentielle, qui ne se réalisera qu'en fonction du milieu où l'enfant évoluera et selon les ressources énergétiques du milieu. Cette énergie, appelée "force de vie" ou "Orgone", selon Reich, est à la base du développement de tout être vivant. Pour se développer, chaque cellule utilise et consomme de cette énergie.

L'enfant qui vient de naître arrive donc avec son potentiel énergétique. Tout ce qu'il fait dans les premières semaines de vie s'inscrit irréversiblement dans sa biologie.

L'environnement est donc très important dans l'utilisation du potentiel énergétique apporté en naissant. Un biologiste, du nom de Lemonnier, avançait la théorie suivante: "Un régime riche en graisse avec un taux calorique élevé dans les premières semaines de vie, induit un état d'obésité pour toute la vie."

Si la mère connaît l'importance de l'alimentation de son enfant, elle saura choisir les aliments appropriés. Cette maman a fait confiance au blé sous toutes ses formes: c'est une source importante de vitamine E (dite de fertilité). Son lait pour l'allaitement est riche en sels minéraux, notamment le calcium. Après le blé, viennent les fruits frais et secs: figues, amandes, pruneaux, noix, dattes, raisins, abricots, olives noires. Ces aliments contiennent beaucoup de sels minéraux et contribuent à faciliter les évacuations intestinales et rénales. Ensuite, viennent les légumes: carottes, navets, choux, champignons, tomates, laitues, etc... crus de préférence, les châtaignes, le riz complet, l'orge, les oeufs, le fromage, le miel. Comme boisson: l'eau citronnée, le jus de fruits et de légumes.

Trésor de la vie

Louise ayant appris à bien s'alimenter sans exagérer dans la consommation de viande de porc ou de boeuf, est en mesure de fournir à son enfant l'équilibre alimentaire dont il a besoin pour se développer. Elle est heureuse de le nourrir au sein, car elle est consciente que le lait animal ne peut remplacer sous quelque forme que ce soit le lait maternel.

Pourquoi le lait maternel est-il recommandé?

Les molécules du lait de vache sont plus grosses que celles du lait maternel; contenant plus de caséine, celles-ci se coagulent en masse compacte lorsqu'elles arrivent dans l'estomac et elles forment de gros caillots: elles rendent la digestion plus longue et occasionnent des ballonnements et quelques fois une distension des organes digestifs.

L'enfant de Louise n'a pas ces troubles et en plus, il est le propre administrateur de sa ration alimentaire. Il n'a donc pas à se défendre d'une suralimentation, qui lui occasionnerait des vomissements répétés. À mesure qu'il grandit, sa mère est très attentive à lui fournir les aliments dont il a besoin. Ces aliments peuvent se définir en quatre (4) catégories:

1. *Les aliments plastiques:*
   Albumines, protides, sels minéraux
2. *Les aliments comburants:*
   Graisses ou lipides
3. *Les aliments énergétiques:*
   Hydrates de carbone que l'on retrouve en abondance dans les végétaux et les céréales
   La cellulose que nous retrouvons dans les végétaux

Les *aliments plastiques* contribuent à la structuration de l'organisme.

Les *aliments énergétiques* nous permettent d'emmagasiner les forces nécessaires pour qu'elles soient utilisées dans le travail de chaque instant.

Les *aliments comburants* sont aussi énergétiques mais à long terme.

1.4   L'ATTITUDE POSITIVE ET L'UTILISATION DES ALIMENTS VIVANTS

J'ai rencontré en Californie une jeune femme qui était aux prises avec le cancer. Son médecin lui recommandait une mastectomie (ablation d'un sein). Ne pouvant se résoudre à cette amputation, elle chercha par tous les moyens à s'en tirer d'une façon naturelle. Elle entendit parler du Dr Ann Wigmore, du "Hippocrates Health Institute" de Boston, qui possède ses moyens et théories propres pour regénérer le corps humain. Cette dame, Edye Mae, prit conscience de l'importance capitale de l'alimentation et de son rôle dans l'évolution physique et psychique de l'être humain. Elle suivit un programme de quinze jours de Dr Ann Wigmore et elle mit par la suite en pratique cette recommandation qu'elle lui donnait: "Souvenez-vous que votre succès est basé sur votre *attitude positive* et votre propre détermination. En vous tenant à ce niveau, vous coopérez

Prêts à vous énergiser

avec "Mère Nature" en créant un environnement propice, et vous appelez ainsi une regénération. Plus vibrante de santé, vous prenez conscience que vous vous embarquez dans une nouvelle aventure, dans *l'étude et l'emploi des aliments vivants*".

Son cancer a régressé. Elle est fidèle à sa diète et m'avouait après une conversation de trois heures, qu'elle ne pouvait se permettre de tricher. Son mari, tout en étant en bonne santé, suit la même diète, afin de lui donner le support dont elle a besoin, et il a assez d'énergie pour faire son travail d'homme d'affaires. Dans son livre "Comment j'ai conquis le cancer naturellement", Eydie Mae nous donne plusieurs recettes de salades de fruits et de légumes crus. L'emphase est mise sur les amandes, les fruits et les légumes.

Madame Wigmore insiste beaucoup sur *l'attitude positive* et l'utilisation des *aliments vivants* tels que: le germe de blé riche en vitamine B17, les légumes crus et frais ainsi que les fruits. Dans son programme de regénération des tissus, elle évite les *aliments morts* qui sont, selon sa conception alimentaire, toutes les viandes, les conserves, les aliments congelés et le sucre industriel.

Les aliments chimiques et les conserves

De nombreux colorants ont été reconnus comme étant cancérigènes. On les utilise quand même en industrie alimentaire. Le phénomène cancéreux est dû à l'accumulation de ces doses infinitésimales mais toujours dangereuses. Ils perturbent gravement la flore intestinale normale.

Pour ce qui est des conserves, malgré toute assurance que les vitamines sont préservées, comment pouvons-nous prétendre retrouver ces corps fragiles, après le passage à des températures atteignant jusqu'à 60° celsius?

Le sucre naturel contenu dans les végétaux et les fruits crus est un aliment vivant. Il est physiologique parce qu'il est combiné au protoplasme des cellules végétales, associé à des ferments, à des vitamines et à des sels nutritifs vitalisés. Le travail d'absorption de ce sucre naturel s'opère par un contact harmonieux, par un échange d'énergie entre les cellules végétales vivantes et nos cellules digestives vivantes.

Le sucre industriel avance le Dr Carton "est un aliment mort" qui a perdu l'association protoplasmique végétale, le contact des sels minéraux vitalisés, des vitamines et des ferments oxydants qui le rendaient physiologique. Par conséquent, nos organes ne l'ayant jamais connu sous cet aspect, dans leur longue période de développement, doivent fournir un effort antiphysiologique pour l'assimilation. Ce travail d'incorporation d'une énergie chimique morte se fait par un contact blessant qui détermine une déviation des actes digestifs cellulaires, une irritation antiphysiologique qui surmène les viscères, et par sa répétition, arrive à les altérer profondément.

Le Dr Georges Menkès souligne les effets morbides du sucre: "Les variations du métabolisme jouent avec beaucoup d'autres facteurs un rôle important dans la formation des tumeurs. Cette constatation incite à penser qu'une déficience prolongée de la régulation nerveuse peut provoquer un déséquilibre cellulaire par la perturbation du sucre dans le métabolisme. Que ce soit par l'intermédiaire du glucose ou d'un autre sucre, ou d'autres substances, la cellule est finalement sensibilisée vis-à-vis de l'agent cancérigène''.

Pour réaliser l'état de santé naturel, il faut donc faire appel uniquement aux aliments répondant à nos besoins exacts.

Si nous choisissons de vivre, nous acceptons aussi de changer les habitudes qui ne contribuent pas à améliorer notre santé et à augmenter notre potentiel énergétique.

1.5 QUESTIONNAIRE

1.   Qu'est-ce que la santé? *Bonne Alimentation avec des aliments-vivants*

2.   La santé est-elle liée à un comportement? Donnez 2 exemples.

3.   Nos habitudes de vie peuvent-elles influencer notre comportement? Exemple personnel. *obésité - fatigue - constipation...*

4.   Qu'est-ce qu'une maladie dégénérative?

5.   Quelle est la cause des grandes maladies dégénératives?

6.   La santé est-elle liée à la constitution génétique?

7.   Quelle serait la première démarche pour vivre en santé aujourd'hui? *Bonne habitude de vie — bonne alimentation.*

8.   Quelles sont les habitudes de vie que vous auriez à changer pour améliorer votre santé?

1.6 TRAVAIL PERSONNEL

1.   Dressez une liste des aliments que vous consommez dans une semaine, à l'aide d'une recherche dans le guide alimentaire canadien ou autres livres de votre choix; faites la critique de votre alimentation.

2.   Visitez un marché d'alimentation et planifiez des menus pour une semaine, dans les limites d'un budget moyen pour une famille de cinq personnes, en tenant compte de leurs besoins et d'un équilibre alimentaire.

"Ni les concepts physico-chimiques de la machine humaine, ni les espoirs de progrès technologique ne peuvent définir un homme idéal ou un environnement adéquat sans tenir compte de tout le passé incarné dans la nature et dans les sociétés humaines, et qui détermine les limites et les potentialités de la vie humaine".

Dr René Dubos

CHAPITRE DEUXIÈME

2.0 Notre potentiel énergétique

2.1 L'intensification de cette énergie vitale

2.2 Les sources de haute énergie qui s'offrent à nous

2.3 Courts-circuits énergétiques

2.4 Quelle est la plus grande quantité d'énergie dont nous sommes capables?

2.5 Questionnaire

2.6 Travail personnel

•lA santé dépendante
— potentiel énergétique

2.0 NOTRE POTENTIEL ÉNERGÉTIQUE =D chromosomes hérités et l'utilisation.

La santé est donc dépendante du potentiel énergétique conféré en-partie par les chromosomes hérités de ses parents et de l'utilisation de cette énergie dans le milieu ambiant.

Au début de la vie, l'utilisation de cette énergie se faisait unique-ment au niveau somatique (contacts physiques avec la mère, qui apportent la satisfaction des besoins primaires. Avec l'éveil de la vie affective, l'utilisation de cette énergie passe au niveau psychologique. L'enfant manifeste cette énergie par l'affection, la sympathie avec l'entourage et ses différents apprentissages. Il expérimente peu à peu et sa conscience s'éveille; il passe à un troisième niveau qu'on peut appeler *conscientiel*.

Avec les années, il adhère aux valeurs de ses parents. Il reçoit une éducation qui développe son sur-moi. Le sur-moi selon le petit Larousse: "est une formation inconsciente, consécutive à l'identification de l'enfant avec ses parents, exerçant la fonction de censure à l'égard des pulsions instinctuelles, en les dirigeant vers des objets substitutifs". Devenant de plus en plus autonome, il arrive par une maturation progressive à contrô-ler ce troisième niveau et à prendre conscience de sa responsabilité per-sonnelle vis-à-vis des actes posés.

Comment l'énergie vitale se manifeste-t-elle?

— physique
— mental
— psychologique
— spirituel

Elle se manifeste à quatre (4) niveaux: physique, mental, psychologi-que et spirituel.

Dans son livre "Stress sans détresse", le Dr Selye évoque l'équilibre homéostatique comme étant un état d'harmonie entre les facteurs internes et externes qui agissent sur chacun de nous et auxquels nous sommes confrontés à chaque instant.

Les facteurs internes sont les expériences passées, tout ce qui a fait ce que nous sommes. **Les facteurs externes** sont tous les inconvénients que peuvent amener comme dans le cas présent, un mauvais rhume dû au froid, et qui affecte plus ou moins notre comportement.

Il y a aussi un autre facteur important aujourd'hui qui peut contri-buer à influencer notre comportement: *la publicité*. Elle nous crée souvent des besoins qui ne sont pas toujours en accord avec notre équilibre interne, et affecte ainsi notre santé. Elle nous pousse à mettre l'accent sur les *avoirs* au détriment de *l'être*. Vivre au-dessus de ses moyens n'est-ce pas un des facteurs de stress nuisible à notre santé? *La santé n'est-elle pas en inter-relation avec le milieu environnant?*

Nous possédons un cerveau qui est fait approximativement de onze milliards de cellules nerveuses entre lesquelles s'établissent pendant l'enfance et l'adolescence des dizaines de milliards de connections et de réactions bio-chimiques qui concourent à augmenter notre énergie *vitale* ou à la diminuer.

Le cerveau nous offre des possibilités merveilleuses si nous savons collaborer avec lui par un bon hygiène physique et mental.

2.1 L'INTENSIFICATION DE CETTE ÉNERGIE VITALE

Comment s'intensifie cette énergie vitale?

Elle s'intensifie sous quatre aspects différents: Physique, psychologique, mental et spirituel.

Au point de vue physique: elle s'intensifie par le métabolisme, qui est l'ensemble des transformations de notre organisme par toutes les substances qui le constituent et par l'influence du milieu, c'est-à-dire toutes les ressources que nous y trouvons telles que: les aliments, l'air, l'eau, la chaleur et la lumière. Ex: Notre organisme puise sa force vitale dans l'air ambiant par la respiration des poumons, celle-ci passe dans le sang, qui la communique aux réactions physico-chimiques du système digestif, qui oriente celles-ci vers la fabrication et l'entretien des cellules et des tissus organiques.

Au point de vue psychologique: elle s'intensifie par l'affection, la réalisation personnelle, l'épanouissement. Ex: Regardons grandir l'enfant qui évolue dans un climat calme et heureux et qui reçoit tout l'affection dont il a besoin n'a-t-il pas plus de chance d'épanouissement que celui qui voit ses parents rarement et qui passe d'une gardienne à une autre?

Au point de vue mental: elle s'intensifie par une capacité d'analyse et de synthèse. Ex: Lire un bon libre, écouter une belle musique, converser avec un ami etc...

Au point de vue spirituel: elle s'intensifie par l'Amour qui est la source première de toute énergie. Cet Amour a été personnifié par différents peuples. Peu importe le nom qu'on donne à cet Amour, nous sommes tous partie intégrante de cet Amour, étincelle divine qui nous rend interdépendants les uns des autres. Nous faisons tous partie du même cosmos et l'organisme y puise toutes les énergies qu'il a besoin pour croître et évoluer. Ces énergies cosmiques sont emmagasinés par les minéraux, les végétaux et l'atmosphère.

Le système nerveux, sous la dépendance de la *conscience autonome*, reçoit parallèlement l'énergie dans tout l'organisme et la contrôle. La conscience autonome est la possibilité que nous avons de nous gouverner par nos propres moyens. Dans l'enfance, ce contrôle est assumé par d'autres consciences (parents, éducateurs, etc.). A mesure que l'enfant grandit, il se prend en main et peut décider par lui-même. Il fera les choix qu'il jugera les meilleurs pour lui.

Pourquoi certaines personnes autour de nous possèdent-elles une vitalité rayonnante alors que d'autres sont asthéniques, sans énergie?

Serait-ce une santé chancelante due à une malnutrition, un travail trop intense, un surmenage, un manque d'affection, ou une spiritualité mal intégrée? Nous savons que l'énergie mécanique et électrique permettent à nos machines de fonctionner et que l'énergie électro-chimique provenant de la digestion permet à notre corps de vivre. Mais ce que nous ignorons souvent, c'est qu'il existe une forme d'énergie plus subtile qui est aussi essentielle au maintien de notre santé et de notre bien-être. Sans elle, nous sommes morts, non physiquement, mais nous dormons notre vie. Nous sommes des robots ambulants, des inconscients. Il est donc très important de trouver cette forme d'énergie essentielle au maintien de la santé et de la joie de vivre. Plusieurs sources d'énergie s'offrent à nous pour un mieux vivre ici et maintenant.

L'énergie physique, l'expérience quotidienne nous l'enseigne par la chaleur, l'électricité, la lumière. Les physiciens le constatent au niveau atomique. Au point de vue biologique, elle se traduit dans les activités corporelles telles que la marche, les exercices physiques, la course à bicyclette, etc.

L'énergie mentale me permet de penser, d'élaborer des projets.

L'énergie psychologique me facilite la communication avec ceux qui m'entourent.

L'énergie spirituelle m'enveloppe de lumière et de force. Les mystiques et les prophètes se disent envahis par une lumière, une force mystérieuse et bienfaisante.

<u>*Comment l'énergie se communique-t-elle?*</u>

Nous rayonnons de l'énergie comme un corps lumineux émet de la lumière. L'énergie remplit tous les espaces. Elle est présente dans tous les systèmes vivants en concentrations variables. L'énergie est à la base de notre rendement et de notre efficacité. Quand elle fait défaut, nous nous sentons déprimés, sans dynamisme. Nous perdons le goût au travail et à la créativité. Si cet état se prolongeaut nous en viendrions peut-être à perdre goût à la vie.

Nous avons tôt fait de prendre conscience qu'il existe des interactions entre ces différents niveaux d'énergie qui provoquent des fluctuations dans notre organisme. Exemple: s'il nous arrive de prendre une mauvaise grippe à la suite d'un surmenage, notre harmonie est rompue, il y a un petit déséquilibre homéostatique.

2.2   LES SOURCES DE HAUTE ÉNERGIE QUI S'OFFRENT À NOUS

Quelles sont ces sources de haute énergie qui s'offrent à nous pour un mieux vivre?

Qu'il est bon le blé!

a) L'amour sexuel

b) L'art sous toutes ses formes: musique, danse, peinture, artisanat, etc...

c) Les gens positifs qui nous entourent

d) L'étude intensive

e) La créativité

f) L'art de penser positivement

g) Être en relation avec la nature

h) La concentration qui nous aide à nous fixer sur nos objectifs d'action et nous fait éviter l'éparpillement. C'est une faculté dont on ne dira jamais assez la valeur pour la conduite du développement individuel. Elle nous apporte toutes les possibilités.

i) La méditation quand nous faisons le vide dans notre esprit pour entrer en contact avec l'Energie première.

j) L'énergie première que nous appelons en Occident, Dieu. L'amour de soi et de l'autre. L'illumination et l'inspiration, cette lumière dans l'esprit.

C'est avant tout l'attitude intérieure qui détermine notre niveau d'énergie. Elle nous conduira à nous dépasser nous-mêmes si elle renferme un dynamisme alimenté par une motivation profonde vers l'agir, ou à laisser tomber, faute de moyens ou de buts précis à réaliser. Qui que nous soyions et quelles que soient nos motivations nous avons des efforts à faire et chacun sait en lui-même ce dont il a besoin. Prenons l'exemple de la sexualité: elle peut être une activité riche ou pauvre en énergie, suivant que nous limitons l'acte au plan physique ou que nous intégrons la communication intense, où toute activité accomplie avec un niveau élevé de conscience et d'amour devient une source riche d'énergie.

Mais il existe souvent des interruptions dans nos circuits énergétiques. Quels sont ces courts-circuits énergétiques que nous rencontrons dans notre vie quotidienne?

2.3 COURTS-CIRCUITS ÉNERGÉTIQUES

L'énergie circule dans l'organisme mais il survient souvent des pertes qu'on peut appeler des *écoulements d'énergie*. Ces écoulements d'énergie sont comme des courts-circuits continuels qui font que l'énergie s'échappe peu à peu. Ces écoulements peuvent être d'origines *externes ou internes*.

Écoulements d'origines externes

Ce sont des événements à l'extérieur de nous qu'il nous faut surveiller, si nous ne voulons pas nous vider de notre énergie. Ces courts-circuits prennent souvent la forme de personnes, situations, institutions ou activités inutiles.

Exemple a) Vous avez un malentendu avec un ami ou un membre de votre famille; cet incident est une cause extérieure d'écoulement d'énergie.

Exemple b) Vous assistez à une pièce de théâtre. Vos voisins parlent continuellement durant la représentation, alors que vous désirez vous concentrer. C'est une cause extérieure d'écoulement d'énergie pour vous, qui cherchez à suivre le déroulement de la pièce.

Écoulements d'origines internes

Ces courts-circuits sont à l'intérieur de nous. Ils prennent la forme d'obsessions, de peurs, de préoccupations, de préjugés, de mauvaises habitudes, de manque de confiance ou de manque de respect pour soi-même. D'où l'importance de prendre conscience de qui nous sommes et de toutes ces formes-pensées qui nuisent à notre santé. Notre équilibre intérieur est souvent rompu par une méconnaissance de nous-mêmes, c'est pourquoi nous multiplions nos problèmes et nos fantasmes.

Ces failles nous font tourner en rond.

Exemple a) j'ai peur de me présenter à cet examen médical.

Exemple b) je suis incapable d'entreprendre ce travail, je remets toujours au lendemain.

Exemple c) je ne suis pas assez jolie pour être aimée.

Nous pouvons accumuler ainsi des pensées négatives tout le long de la journée.

Nous perdons de l'énergie. Penser négativement est la plus grande source d'écoulement d'énergie. Herriot disait "ne vous endormez jamais en pensant qu'une chose est impossible, vous risqueriez d'être réveillé par le bruit que ferait un autre en l'exécutant".

La compagnie de gens négatifs est un fleuve d'écoulement d'énergie. Ne vous êtes-vous pas déjà retrouvé dans une assemblée avec des personnes négatives qui au lieu d'apporter quelques bonnes idées constructives semblent prendre plaisir à détruire? Comment vous êtes-vous sentis après cette rencontre et les jours qui ont suivi?

Vous avez aussi souvent expérimenté de la joie et du bonheur d'être en présence de gens positifs, quel regain d'énergie n'avez-vous pas retiré de ces rencontres?

Un autre facteur d'écoulement d'énergie peut consister dans les différents rôles que nous avons à jouer en face des autres et qui nous obligent souvent à nous masquer. Ex: A l'occasion d'une grande souffrance, que d'efforts ne faisons-nous pas quelquefois pour maintenir une façade joyeuse alors que nous aurions le goût de pleurer?

Il y a aussi les nombreux désirs que nous entretenons et qui ne sont pas satisfaits.

Lorsque nous aurons pris conscience de toutes les forces qui nous habitent de combien notre vie en sera-t-elle améliorée! Le bonheur n'est-il pas à notre portée?

2.4 QUELLE EST LA PLUS GRANDE QUANTITÉ D'ÉNERGIE DONT NOUS SOMMES CAPABLES?

Notre plus ou moins grande capacité à percevoir positivement le monde et à goûter le bonheur découle donc d'une confiance accrue en nos possibilités et un besoin de les utiliser. Plus nous sommes conscients des actes que nous posons, mieux nous utilisons nos ressources internes et plus nous avons le sentiment d'une grande liberté au niveau de nos émotions et de nos actions.

Le développement de l'être humain est lié étroitement à sa façon d'ajuster ses états émotifs somatiques à ses états d'âme suivant les situations. Nous entendons souvent cette expression: "je me sens flotter sur un nuage".

Comment arriver à se sentir de plus en plus satisfait dans la vie?

Imaginez-vous que vous êtes un grand baril et que vous avez un ou plusieurs trous dedans d'où l'énergie s'écoule. En prenant conscience de ces trous, vous songez à les boucher. Comment vous y prendrez-vous?

a) Il vous faudra peut-être interrompre tel genre de relations qui vous soutire trop d'énergie. Ex: A chaque fois que je rencontre telle personne "je me sens vidé".

b) Peut-être y aura-t-il des mises au point à faire avec un parent afin de clarifier la situation qui vous épuise intérieurement, etc...

A mesure que vous bouchez les trous de votre baril, le niveau d'énergie remonte. Lorsque le baril est plein, il commence à se déverser sur les autres. Vous faites alors l'heureuse découverte que vous pouvez canaliser ce surplus d'énergie et aider ainsi d'autres personnes à être conscientes d'elles-mêmes. Lorsque le baril est plein, vous êtes plus en mesure de répondre à vos propres questions: Qui suis-je? Qu'est-ce que je viens faire sur cette planète?

Qui suis-je?

Il nous est indispensable de répondre à cette première question pour maintenir l'harmonie interne ou la rétablir si elle fait défaut. Nous avons besoin de nous connaître pour exprimer notre potentiel énergétique avec le moins de frustration possible et demeurer dans un état d'équilibre et de bien-être.

Le Dr Alexis Carrel affirmait: "L'homme a acquis la maîtrise du monde matériel avant de se connaître lui-même". Les hommes connaissaient le mouvement des astres alors qu'ils ignoraient encore le phénomène de la circulation du sang.

Nous savons maintenant que l'être vivant que nous sommes est soumis à des lois naturelles qu'il doit respecter pour vivre dans cet état d'harmonie.

Nous sommes capables d'avoir un but pour lequel nous soyons fiers de travailler. Nous sommes pleinement vivants et producteurs dans la mesure où nous nous connaissons et sommes capables de nous évaluer. Nous devenons alors de plus en plus conscients de nos sentiments, de nos attitudes et de nos motifs d'action.

Qu'est-ce que je viens faire sur la terre?

Nous nous découvrons progressivement à la lumière de notre propre expérience au lieu de chercher à préserver une image préconçue de ce que nous devrions faire ou être. Nous connaissons nos limites et possibilités et nous nous fions à ces dernières.

Nous exerçons tout de même un contrôle dans nos relations humaines, sachant fort bien qu'elles apparaissent elles aussi avec un réseau énergétique qui peut être positif ou négatif selon les personnes que nous rencontrons. Cette connaissance de nous-même favorise l'honnêteté, l'art de nous présenter aux autres sans façade. Elle nous permet d'affirmer notre identité, d'être à l'écoute de nos pulsions, de nos sentiments, de nos émotions, de nos besoins.

Combien de soucis, de peines ne nous sommes-nous pas attirés parce que tiraillés, incertains de la tâche à accomplir et de son but. N'avons-nous pas perdu beaucoup de temps à poursuivre des ombres alors que tout ce qui nous concernait était en nous-même?

Nous sommes riches de possibilités qui ne demandent qu'à être exploitées.

2.5 QUESTIONNAIRE

1. Qu'entendez-vous par potentiel énergétique?

2. Comment se fait l'utilisation de cette énergie chez le nourrisson?

3. Comment cette énergie vitale se manifeste-t-elle?

4. Quels sont les facteurs internes et externes qui agissent sur vous?

5. Comment s'intensifie cette énergie vitale au point de vue physique, psychologique, mental et spirituel?

6. Quelles sont ces sources de haute énergie qui s'offrent à nous?

7. Qu'est-ce qui détermine notre niveau énergétique?

8. Nommez six (6) sources de haute énergie.

9. Qu'est-ce qu'un court-circuit énergétique?

Écoulement d'énergie...

Figure 2.1

Rempli d'énergie . . .Capable de donner!

Figure 2.2

10. Comment se traduit-il dans l'organisme?
Son origine?

11. Comment pouvez-vous atteindre le maximum d'énergie que vous pouvez contenir?

2.6 TRAVAIL PERSONNEL

Relever tous les "trous dans votre baril".

Identifiez-les.

Trouvez-en la cause.

Quelle solution y apporterez-vous?

CHAPITRE TROISIÈME

Tout dans la nature est rythme

3.0   NOS RYTHMES BIOLOGIQUES

Notre éducation nous a-t-elle sensibilisé à l'importance des rythmes biologiques internes qui nous animent?

Le Dr Jean Pierrakos a exploré la pulsation du champ énergétique dans l'homme et dans la nature. Le champ énergétique est associé au processus biologique interne. Les rythmes dépendent de _l'état émotionnel_ de l'organisme et du _degré d'activité physique._

Qu'est-ce qu'un rythme?

Larousse nous dit: "c'est la fréquence d'un phénomène périodique". Le mouvement rythmique est fait de contraction et d'expansion. On l'appelle souvent _pulsation;_ c'est un cycle du rythme. Exemple: le rythme cardiaque.

La _contraction_ appelle un mouvement vers le centre. Ex.: L'inspiration. Dans l'_expansion,_ le mouvement est dirigé en dehors du centre. Ex.: L'expiration.

Dans la _peur,_ l'emphase est à l'extérieur. La peur est une contraction vers le centre du corps et tiré de l'intérieur vers l'extérieur. Quand le corps n'exprime pas cette peur, la personne est bloquée à l'intérieur et contractée. Dans la colère, l'expression est dirigée vers l'extérieur, l'émotion est exprimée et l'emphase est mise sur la force pulsative.

La douleur est exprimée à travers un mouvement convulsif où se succèdent une contraction et une expansion. Quand la douleur est bloquée dans le corps, le système en entier se contracte par la prise de conscience de ses émotions. Une libération ou décharge de l'énergie est possible seulement après qu'une charge suffisante a été accumulée. Cette tension peut devenir chronique et former une _véritable armure musculaire._

Qu'entend-on par armure musculaire?

La tension que nous accumulons s'emmagasine dans les muscles. Ex: le lutteur aux épaules très larges: les muscles du tronc ont été très développés car c'est à cet endroit qu'il se charge d'une certaine tension musculaire. Le boxeur emmagasinera dans ces points.

Pour un autre qui utilise davantage ses bras, la tension s'accumulera à cet endroit.

Tout dans la nature est "rythme"

Plusieurs variétés de plantes diffèrent dans leur champ énergétique, selon qu'elles sont en activité ou dormantes. L'atmosphère de l'océan a un champ pulsationnel et nous pouvons tous observer les vagues qui varient selon l'heure du jour ou les vents.

Il y a des millions de pulsations naturelles qui peuvent s'observer à toute heure du jour sur la terre. Plusieurs de ces pulsations nous affectent dans notre corps, même si nous en sommes inconscients. Quelles sont ces fameuses "fièvres du printemps"? Ces dépressions hivernales? Ces idées lumineuses du matin? Ces accouchements nombreux lors de la pleine lune?

La pulsation implique un mouvement. Elle se produit dans la nature vivante et non-vivante. Le jour et la nuit créent une pulsation à laquelle répondent chaque animal et chaque plante sur la terre.

Pour plusieurs créatures, *le jour est expansion*, temps d'activité intense où l'énergie est dégagée, et *la nuit est contraction*, le système se recharge pendant le sommeil.

Les *pulsations saisonnales* de la nature coïncident avec notre voyage annuel autour du soleil; c'est un rythme constant. Durant la *chaleur expansive de l'été*, les plantes déchargent leurs fruits et se reproduisent.

Les mouvements péristaltiques des intestins et des autres organes du corps suivent le même modèle:

tension...   charge...   décharge...   relaxation...

On a enregistré dans les régions polaires, au cours des longs mois d'obscurité, plusieurs anomalies gynécologiques.

Quelle que soit la véracité de cette thèse, nous pouvons observer que tout dans la nature est cyclique. A chaque année, nous passons par le cycle des saisons qui nous reviennent toujours dans le même ordre.

En prêtant attention aux rythmes qui nous animent, il devient intéressant de noter que notre attention monte et baisse en l'espace de 90 minutes. Ou que nous soyons, croyez-le ou non, *nous portons quelque chose à notre bouche à toutes les 90 minutes* environ; ce sont nos cycles ultradiens qui en décident ainsi.

Nous continuons toujours à nous prêter attention et nous constatons que notre force et notre vitalité trahissent des "pointes" quotidiennes: ce sont nos cycles circadiens. Quant à nos cycles infradiens, nous pouvons également les observer et les connaître si nous nous écoutons vivre.

3.1   LES BIORYTHMIES DE L'ORGANISME HUMAIN

Après avoir étudié l'organisme humain, on a identifié trois types de biorythmie qu'on a appelé: cycles infradiens, circadiens et ultradiens.

Les **cycles ultradiens,** du latin "ultra", au-delà et "dies", jour, couvrent une période de temps supérieure à 24 heures. Ce sont des cycles qui ne reviennent pas souvent et qui peuvent être plusieurs jours et même plusieurs semaines avant de revenir.

Un des exemples qui illustre le mieux le cycle ultradien, c'est le cycle menstruel chez la femme qui en moyenne, revient tous les 28 jours.

On a même observé chez les hommes des cycles semblables, qui re-

J'appartiens à la nature et la nature m'appartient

viennent à toutes les quatre à six semaines, mais comme les manifestations extérieures ne sont pas aussi visibles que chez la femme, on les a souvent ignorés. Nous avons des cycles physiologiques de 23 jours, des cycles émotifs de 28 jours et des cycles intellectuels de 33 jours.

Le calcul de ses biorythmies est décrit à l'appendice I.

Les **cycles circadiens,** du latin "circa", environ et "dies", jour, couvrent une période de temps d'environ 24 heures. Ce sont les cycles qui ne se produisent qu'une fois le jour et qui mettent 24 heures avant de se produire à nouveau. Par exemple, la température corporelle subit des variations au cours d'une période de 24 heures. Ainsi, chez un individu en santé, la température atteint un minimum durant la nuit, alors que vers le milieu de l'après-midi, elle atteint un maximum.

Les **cycles infradiens,** du latin "infra", en-dessous, et "dies", jour, couvrent une période de temps bien inférieure à 24 heures. On a observé que ces cycles se reproduisent à tous les 90 minutes environ. A titre d'exemple, citons les rythmes buccaux, les rêves éveillés et combien d'autres.

Dans la nature qui nous entoure, il y a plusieurs variétés de plantes. Il y a également plusieurs espèces d'animaux, mais il n'y a qu'une seule espèce humaine. Nous savons tous qu'un radis pousse plus vite qu'une carotte et qu'un serin est différent d'un goéland. Pourquoi un être humain ne serait-il pas différent de l'autre à côté duquel il vit? Un serin se nourrit-il de la même nourriture qu'un goéland ou qu'un aigle? Un cactus nécessite-t-il autant d'eau qu'un coléus? Pourquoi alors les humains nécessiteraient-ils tous trois repas par jour?

Le serin est prêt à dormir dès que le soleil se couche et il se lève avec la lumière solaire, déjà en forme pour chanter et commencer son activité de la journée. Pourtant, un autre oiseau, le hibou, par exemple, ne s'endort qu'aux petites heures du matin et est prêt à donner son maximum de rendement la nuit. Certains humains ne seraient-ils pas des serins et d'autres des hiboux? Si chacun écoutait ses propres rythmes biologiques, on apprendrait à respecter les différences.

Notre corps est une machine merveilleuse qui nous dicte, si on se donne la peine de l'écouter, tout ce dont nous avons besoin pour vivre et le moyen de répondre à nos besoins spécifiques. Nos rythmes biologiques constituent un équilibre délicat qui peut être rompu facilement et entraîner un désordre physiologique et psychologique. Exemple: le corps se meut dans un chemin particulier quand il exprime des émotions négatives telles que la colère, la peur, la douleur. Ces expressions ont une émotion qui a une caractéristique pulsatoire qui est inhibée quand l'émotion est bloquée.

3.2 QU'EST-CE QUI CAUSE LE RYTHME DANS LE CORPS HUMAIN?

Ce sont les vagues pulsatrices du liquide que le corps contient qui causent le mouvement rythmique. C'est ce mouvement de l'énergie à tra-

Le corps rythmé

vers le plasma du corps qui est expérimenté subjectivement comme "émotion".

L'expression du mouvement dans le corps humain est fait de plusieurs pulsations différentes et le corps est divisé en unités de pulsation. Reich fait allusion aux *segments* du corps.

Les segments forment sept cercles autour du corps en commençant par le haut de la tête et des yeux et en descendant vers le pelvis, les jambes et les pieds. Chaque segment contient des groupes de muscles. Quand ces muscles sont relaxés, ils permettent des pulsations spontanées de l'énergie en mouvement à travers le plasma dans le segment. L'énergie doit couler librement en haut et en bas du corps. Et chaque muscle est coordonné dans son expression et son mouvement avec les autres segments, sinon l'unité est renversée et l'expression du corps est bloquée et perd son intégration.

La source de notre santé et de notre harmonie est en nous, avec nous et autour de nous. A quoi bon vouloir dérégler nos horloges naturelles par des exigences sociales et culturelles? Pourquoi ne nous écouterions-nous pas vivre?

Nous sommes en relation avec toute la nature qui nous entoure. Il n'y a rien de dominé ni de dominant. Nous faisons partie intégrante du cosmos où chacun de nous et chaque chose a sa place bien marquée. Il serait vain de vouloir changer ou modifier cette place sans encourir des résultats désastreux.

Vivons avec nos émotions afin de ne pas emmagasiner de tension qui romprait l'équilibre et l'harmonie et nous éloignerait de cet état de bien-être.

Pourquoi ne pas pleurer quand le coeur est en peine, rire quand le coeur est joyeux et dire à l'autre simplement l'émotion qu'il nous fait vivre.

En étant présent à nous-mêmes, nous pourrons alors connaître nos besoins et y répondre.

3.3 QUESTIONNAIRE

1. Qu'est-ce qu'un rythme?

2. Donnez un exemple de pulsation a) chez l'humain
    b) dans la nature

3. Dans quelle partie du corps s'emmagasine la tension que nous accumulons?

4. Quels sont les quatre mouvements du rythme?

5. Qu'est-ce qui nous fait dire que la nature est cyclique?

6. Quels sont les trois types de biorythmie de l'organisme humain?

7. Donnez un exemple du type infradien, ultradien, circadien.

8. Qu'est-ce qui cause le rythme dans le corps humain?

9. Où est la source de notre santé et notre harmonie?

3.4 TRAVAIL PERSONNEL

Après avoir identifié les différentes biorythmies de votre organisme, essayez de relever vos rythmes propres du lever au coucher, votre mode de fonctionnement.

Êtes-vous un serin ou un hibou? ou quoi encore?

"L'activité humaine est dominée par la recherche du bonheur. Le bonheur à son tour est essentiellement la réalisation de soi, un état où tous les besoins matériels ou intellectuels se trouvent satisfaits.

Le plaisir est la satisfaction d'un besoin et il ne peut y avoir de grand plaisir sans grand besoin".

Albert Szent

CHAPITRE QUATRIÈME

4.0 Nos besoins fondamentaux

4.1 Historique des besoins

4.2 Besoins fondamentaux essentiels à la survie

4.3 Nos besoins physiologiques

4.4 Nos besoins psychologiques

4.5 Nos besoins sociaux

4.6 Nos besoins spirituels

4.7 Nos besoins situationnels

4.8 Questionnaire

4.9 Travail personnel

4.0   NOS BESOINS FONDAMENTAUX

Un besoin fondamental est une exigence qui ne peut rester insatisfaite sans conséquence grave pour le développement de l'organisme.

4.1   HISTORIQUE DES BESOINS

En remontant le cours de l'histoire, nous découvrons que les besoins des hommes sont toujours nés de comportements. Ils se sont traduits selon l'époque dans laquelle ils leur étaient donnés de vivre.

1.   Durant l'époque de nutrition

Les hommes primitifs s'occupaient principalement des besoins d'alimentation. Ils avaient souvent à se battre pour trouver leur nourriture.

2.   L'âge de la sécurité

À mesure que les chasseurs primitifs économisaient un peu de temps dans leur recherche de nourriture, ils consacraient de plus en plus d'attention aux techniques de guerre. Ils fortifiaient leurs demeures et les clans se développèrent.

3.   L'époque du confort matériel

Les hommes commencèrent à occuper leurs loisirs, à développer leur confort personnel. Cette époque se caractérise par la tyrannie, l'intolérance, la gloutonnerie et l'ivrognerie.

4.   La recherche de la connaissance et de la sagesse

Les besoins de nourriture, de sécurité, de plaisirs et de loisirs dominent encore la société, mais beaucoup d'individus orientés vers l'avenir ont faim de connaissance et soif de sagesse.

5.   L'époque de la philosophie et de la fraternité

Quand les hommes commencent à profiter de l'expérience et à penser, ils deviennent philosophes. Ils se mettent à raisonner et à exercer un jugement avisé. La société devient ethique. Les hommes deviennent moraux et sages, ils sont capables de fraternité. Ils commencent à apprendre à vivre.

BESOINS FONDAMENTAUX

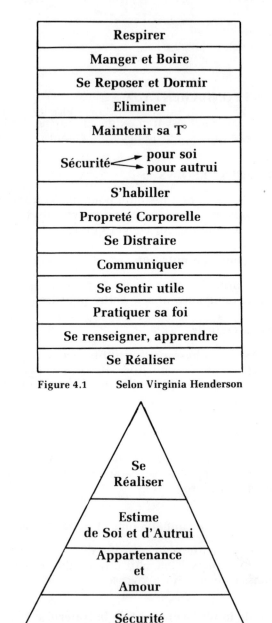

Figure 4.1   Selon Virginia Henderson

Figure 4.2   Selon Maslow

6. L'âge de l'effort spirituel

Après avoir traversé ces différents stades de développement physique, intellectuel et social, l'homme recherche des satisfactions spirituelles et des compréhensions cosmiques. Cette recherche de l'expérience spirituelle l'amène à une transcendance.

À toutes les époques, l'homme a essayé de répondre aux besoins qui sont essentiels à sa survie et qui sont nés des exigences de sa nature et de la vie sociale qu'il mène. Ces différents besoins en tant qu'être bio-psycho-socio-spirituel sont considérés aujourd'hui par Maslow, le père du potentiel humain, Virginia Henderson, Carl Rogers, Dorothy Orem et bien d'autres, comme des besoins fondamentaux.

4.2   BESOINS FONDAMENTAUX ESSENTIELS À LA SURVIE

Nous sommes tous des êtres semblables et cependant, uniques. Nous nous rejoignons pour la satisfaction de certains besoins essentiels, dits fondamentaux, mais nous sommes différents dans toute la gamme des besoins que nous nous créons en raison de nos goûts et de nos habitudes de vie.

Ces besoins essentiels à notre survie peuvent se regrouper en quatre catégories:

1°   les besoins physiologiques
2°   les besoins psychologiques
3°   les besoins sociaux
4°   les besoins spirituels.

Après avoir été à l'écoute de nous-même et nous être perçus comme entité bio-psycho-socio-spirituelle, nous savons que nous existons; que notre corps est un support, un véhicule pour entrer en communication avec nous-même et avec le monde qui nous entoure.

Cette énergie organismique qui nous permet de fonctionner se traduit par des comportements.

En remontant à travers les âges, nous constatons que tous les comportements de l'être humain sont nés de besoins. Ces besoins sont souvent des aspirations naturelles et inconscientes. Carl Rogers affirme que "l'effet le plus immédiat de la tendance à l'actualisation de soi est de transformer l'énergie organismique en besoins fondamentaux dont la satisfaction entraîne une actualisation effective de la personne humaine".

4.3   NOS BESOINS PHYSIOLOGIQUES

Alimentation

Chacun à notre tour nous avons expérimenté la faim. Étant petit nous avons crié pour notre nourriture. Ce besoin est si fort que des gens ont accepté, pour survivre, de manger la chair de leurs amis morts dans un accident d'avion. Nous faisons tout pour satisfaire ce besoin. Mais il y a le *comment?* Acceptons-nous ou prenons-nous le temps de choisir un régime équilibré, de bien mastiquer? De calculer nos dépenses énergétiques afin de ne pas ingérer plus que nos besoins? Faisons-nous de l'acte de manger un art de vivre?

Songeons-nous qu'à chaque repas que nous prenons, nous refaisons l'unité de notre être, assurant notre équilibre physique, mais aussi affectif, spirituel et mental?

Respiration

Dans cette ère de stress où nous vivons, tout se passe si vite que nous avons à peine le temps de respirer. On en perd le souffle!

Comment respirons-nous?

D'une façon très superficielle, à l'ordinaire: c'est à peine si le thorax bouge. L'apprentissage de la respiration contribue à améliorer notre rendement et à nous libérer de tensions inutiles. Une bonne respiration est une respiration en trois mouvements: abdominale, costale inférieure et costale supérieure.

Les expirations prolongées assurent une circulation parfaite de tous les fluides et sucs vitaux, jusqu'aux moindres vaisseaux capillaires, aux cellules nerveuses et cérébrales et permet un bon équilibre mental.

Élimination

Nous accumulons de très bonnes choses dans notre organisme, mais nous avons des organes de *filtration* tels que les reins, les poumons, les intestins, qui nous débarrassent des déchets qui ne sont d'aucune utilité pour notre développement.

Prenons-nous le temps de bien éliminer?

Se peut-il que le travail nous prenne à un tel point que nous ne répondions pas à temps à nos besoins naturels?

Exercice

Qu'est-ce qui nous assure la maîtrise de notre corps? Différents exercices sont à notre portée aujourd'hui pour nous conditionner et nous mener à une parfaite santé, que ce soit le jogging, la marche au grand air, la course à pied ou à bicyclette. Il s'agit toujours de trouver ce qui nous convient le mieux.

L'exercice, en plus d'assurer la maîtrise du corps, favorise une bonne circulation et nous aide à canaliser notre énergie.

Repos et sommeil

Nous arrive-t-il de brûler la chandelle par les deux bouts et d'être exténués? Que survient-il alors? La fatigue nous gagne. N'attendons donc pas d'être très fatigués pour décider de nous reposer! Le repos est réparateur en autant qu'on refait son "plein d'essence" au fur et à mesure de notre besoin, c'est-à-dire, selon nos dépenses énergétiques. Nous récupé-

Sois souple, mon corps

rons l'énergie à mesure que nous la dépensons.

Pourquoi sommes-nous quelquefois si fatigués après quinze jours de vacances?

Soit que nous ayons pris trop de repos ou pas assez. Trop de repos fatigue: nos muscles sont trop passifs. Ils perdent leur entraînement et il est difficile de les remettre à l'activité.

Pour que le sommeil soit profitable, il est important de se détendre avant d'aller dormir, soit par une bonne relaxation, quelques minutes de méditation ou de lecture.

Confort et bien être

Le luxe est-il nécessairement associé au confort? Dans certains pays, des gens simples vivent dans des maisons modestes avec le strict minimum et ils sont heureux. Ils vivent un bien-être parce qu'ils sont en harmonie avec la nature. Ils s'adaptent au climat. Leurs vêtements sont appropriés aux différentes saisons. L'indien du nord se sent-il moins bien et moins confortable que l'indien du sud?

Hygiène physique

Les bases de l'hygiène se rencontrent d'abord dans la famille et ensuite dans la société. L'individu apprend dès sa plus tendre enfance les bienfaits de l'eau pour maintenir son corps propre. L'importance de l'hygiène individuelle se répercute dans l'hygiène collective. Des individus qui respectent les règles de l'hygiène feront une société soucieuse de ses lieux et de l'entourage.

L'hygiène nous aide à entrer en relation avec les autres et à nous respecter mutuellement.

Hygiène mentale

Quand on parle d'hygiène mentale, on s'adresse aux fonctions phychiques. Comment pouvons-nous maintenir intactes nos fonctions psychiques aujourd'hui?

Il nous faut apprendre à vivre avec nos stress. Le Dr Selye affirme: "l'absence complète de stress, c'est la mort". Il parle du stress nécessaire à la vie et qui est à la source de *toute créativité.* Ce qu'il faut éviter ce sont les stress nuisibles qui nous bloquent, nous paralysent et nous épuisent. Quoi que nous fassions et quel que soit l'événement que nous vivions, il se porduit toujours en nous la demande d'énergie nécessaire au maintien de la vie, à la résistance aux agressions et à l'adaptation aux influences extérieures sans cesse changeantes. Les agents "stresseurs" les plus communs sont les excitations émotionnelles et le complexe de culpabilité, lesquels sont souvent provoqués par des facteurs de conditionnement. Un meilleur contrôle de soi a pour résultat que l'on prenne le gouvernail de

L'ÉQUILIBRE MENTAL ET QUELQUES-UNES DE SES MANIFESTATIONS:

ATTITUDE 1 *envers soi-même*

ATTITUDE 2 *envers autrui*

ATTITUDE 3 *envers la vie et ses problèmes*

L'ÉQUILIBRE MENTAL SE RECONNAIT

ATTITUDE 1 envers soi-même

à la maîtrise de ses émotions, peurs, colères, amours, jalousies, soucis.

à une humeur égale devant les petites déceptions de la vie.

à l'acceptation d'une plaisanterie à ses dépens:
le sérieux n'est pas momifié.

à l'absence de fausse humilité aussi bien que de confiance démesurée.

à la conscience de ses lacunes.

au respect de soi-même.

à la certitude de pouvoir résoudre la plupart des problèmes de l'existence.

à la satisfaction retirée de plaisirs simples et ordinaires.

ATTITUDE 2 envers autrui

à la capacité de s'attacher et de s'intéresser aux projets d'autrui.

à des amitiés durables et enrichissantes.

au préjugé favorable et à la confiance à l'endroit des concitoyens et à la conviction de retrouver chez eux les mêmes sentiments.

au respect à l'endroit des personnalités diverses que la vie fait rencontrer.

au désir de mener sa barque soi-même et de laisser ses concitoyens gouverner la leur.

à la conviction d'appartenir à un groupe.

au sentiment de responsabilité envers ses concitoyens et le genre humain en général.

ATTITUDE 3 envers la vie et ses problèmes

à la capacité de solutionner les problèmes au fur et à mesure qu'ils se présentent.

à l'acceptation de responsabilités.

à la volonté de façonner son existence selon son goût ou de s'adapter à son entourage si nécessaire.

à une prévoyance qui ne verse pas dans l'appréhension.

à l'encouragement des idées et initiatives nouvelles.

à l'exploitation de ses talents.

à des ambitions proportionnées à ses moyens.

à une pensée originale et à des décisions personnelles.

à la concentration de ses efforts sur chacune de ses entreprises et à la satisfaction apportée par un travail bien fait.

ses pensées et que l'on adopte une attitude positive devant la vie.

D'où nous viennent ces états névrotiques qui ont tant d'influence sur notre santé?

Nous avons appris à nous tenir en équilibre sur une corde raide: le manque de confiance en notre propre nature, le mépris de notre corps, nous ont empêchés souvent de vivre en état d'harmonie interne.

Hygiène sexuelle

Peut-on user du sexe sans en abuser?

Celui qui abuse du sexe considère l'autre comme un objet dont on se sert pour sa satisfaction personnelle. Dans le cas contraire, il considère l'autre comme soi-même, ce qui lui permet d'entrer dans une relation d'amour riche de don et de compréhension.

Le ministère des Affaires sociales a mis en marche depuis quelques années, un programme d'information préventive en matière de planification des naissances à l'intention des adolescents. Le but est d'enrayer des situations pénibles pour l'équilibre socio-affectif des jeunes d'aujourd'hui: grossesses indésirées, maladies vénériennes, fréquentations difficiles.

Il est *nécessaire* que les parents de demain *désirent* la naissance de chacun de leurs enfants.

L'accroissement des maladies vénériennes constitue une triste preuve de l'ignorance en matière d'hygiène sexuelle chez un grand nombre de jeunes et de moins jeunes.

Ce programme d'information préventive qui se déroule sous la responsabilité des services sociaux, a comme lieu privilégié, l'école, qui peut rejoindre parents et élèves. Les média d'information commencent à s'intéresser à ce sujet des plus importants pour l'avenir de la race. Les interdits et les tabous ont souvent figé l'homme dans ce que Reich appelle "la peste émotionnelle". Si nous voulons lutter efficacement contre les névroses personnelles et collectives, nous devons changer certaines de nos conceptions.

Quels seront ces changements?

Les enfants qui naîtront en l'an 2000 auront-ils la chance d'avoir inscrit, dès leur conception, dans leur potentiel énergétique, amour, confiance en soi, respect de soi-même et des autres, responsabilité, liberté, apprentissage du plaisir et capacité de renoncer à tout ce qui manque d'harmonie? Les hommes auront sans doute fait des pas de géant dans l'éducation préventive; ils auront pris conscience de l'influence de leurs pensées et de leurs paroles sur leur santé et celle de leur progéniture.

Quelle influence peuvent avoir nos pensées et nos paroles sur notre santé mentale?

Si nous jetons un caillou dans un sceau d'eau, le point de chute sur l'eau forme un centre d'où partent des ondulations concentriques. Ces ondulations s'agrandissent jusqu'à ce qu'elles atteignent la paroi du sceau. Dès qu'elles ont atteint les limites du sceau, elles repartent vers l'endroit où le caillou a touché l'eau.

C'est la représentation exacte de toutes nos pensées et de toutes les paroles que nous prononçons; elles mettent en mouvement certaines vibrations qui se propagent, puis retournent à celui qui les a émises.

Plusieurs expériences de laboratoire prouvent que la pensée humaine agit sur les plantes bénéfiquement ou non. Elle agit encore plus fortement chez l'animal, quand elle rayonne de la peur, de la haine ou de l'amour.

Même l'eau, le sol et les pierres sont influencés par l'homme... Son psychisme s'y grave et il est ensuite réfléchi sous forme d'énergie ou de magnétisme que l'homme ressent à son tour. Ex: tel lieu béni ou maudit...

Si nous adoptons une attitude négative, il s'installe une psychopathologie de la vie quotidienne: malaises de vivre, sentiments de non créativité. L'expression "J'ai mon voyage!" décrit bien cet état d'esprit négatif.

Si, au contraire, nous adoptons une attitude positive en face de ce que nous sommes et de ce que nous vivons, nous ne pourrons qu'émettre des pensées de créativité et de succès. Cette attitude se traduira dans nos paroles, nous serons capables de nous estimer et d'estimer les autres à leur juste valeur et nous jouirons d'une bonne hygiène mentale.

Sécurité physique

Le respect m'amène à une certaine prudence pour moi-même et pour les autres.

Avons-nous l'habitude de calculer les risques que nous prenons?

Il est prouvé que le complexe de l'accidentisme est très fort entre 16 et 20 ans. Le taux de mortalité dû à des accidents, soit en moto ou en auto, est très élevé. Ce complexe se prolonge souvent toute la vie pour un grand nombre.

Sommes-nous de ceux pour qui la sécurité physique n'est pas un besoin?

Intégrité sensorielle

Grâce aux agents de la santé qui ont la responsabilité du secteur scolaire, le dépistage prévient aujourd'hui les retards importants chez l'enfant en ce qui a trait au bon fonctionnement de ses cinq sens: vue. ouie, odorat, goûter, toucher. Ces moyens préventifs assurent le bon développement de l'enfant au point de vue physique et intellectuel, et les parents en général collaborent avec l'infirmière du secteur scolaire pour répondre aux besoins de l'enfant.

Nos loisirs

Les loisirs sont des élements importants d'une bonne hygiène mentale,

Se réaliser en créant

si nous savons les choisir. Ce sont des moyens de détente qui nous tirent de la routine quotidienne et nous permettent de nous refaire physiquement et psychologiquement. Ils nous recréent.

Les centres de loisirs sont de plus en plus en demande aujourd'hui. Ils répondent aux besoins des plus jeunes et des plus vieux. Il suffit d'un peu d'imagination pour trouver les loisirs qui répondent le mieux à ce que nous sommes. Si nous manquons d'idées, la publicité se charge de nous en fournir.

4.4   NOS BESOINS PSYCHOLOGIQUES

Nous constatons, dans la pyramide de Maslow, le père du potentiel humain, qu'il est essentiel de satisfaire ses besoins physiques pour être en mesure de répondre à ses besoins psychologiques. Parmi les besoins psychologiques, celui qui prime sur tous les autres et dont les autres découlent en quelque sorte, c'est notre *besoin d'amour et de sécurité affective.*

Les dernières de la psychanalyse ont démontré que la plupart des maladies mentales que l'on attribuait à des facteurs héréditaires se développent dans les premières années de la vie. Elles sont les suites de relations défectueuses entre l'enfant et son milieu. Plusieurs enfants meurent dans nos sociétés super-industrialisées par manque de satisfaction de ce *besoin vital d'amour.*

Nous sommes tous confrontés, à tout âge et dans n'importe quelle culture, à la solution d'un seul et même problème: *comment surmonter la séparation?*

À partir de la coupure du cordon ombilical jusqu'à l'autre coupure symbolique qui se fait à un âge plus avancé, nous sommes en quête de *refaire l'union.* Nous nous demandons comment entrer dans le monde extérieur sans nous briser intérieurement.

Comment aimer et être aimé?

Cette quête d'amour se traduit par un autre besoin: *l'expression et la communication.*

Pour dire à l'autre, notre amour, nous adoptons le langage. Ce sera tantôt un langage verbal tantôt non-verbal, qui se traduira en gestes, en expressions d'amour de toutes sortes. Mais cette expression ne sera possible qu'à condition que nous prenions conscience de nos goûts, de nos actions, de nos sentiments et que nous acceptions notre corps et en soyons fiers.

Comment cette expression peut-elle se faire?

1. En ayant des comportements adaptés et souples.
2. En comprenant la signification de mes comportements.
3. En prenant conscience de ma subjectivité et en cherchant le plus d'objectivité possible.
4. En ayant le sens du relatif.
5. En ayant une image positive de moi.
6. En étant motivé dans mon agir.
7. En ayant confiance en ma valeur personnelle.

Besoin de compréhension

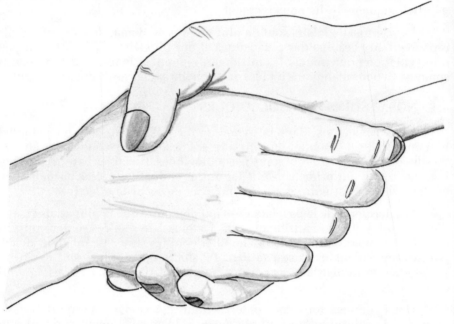

Figure 4.3

En ne renonçant pas à l'émotion: dans ma communication, j'adhère à une capacité de compréhension de ma propre expérience de mes limites et possibilités et à celles des autres (voir le chapitre sur la communication).

Besoin de compréhension

Puis-je arriver vraiment à comprendre l'autre si je n'ai pas une attitude d'accueil à ce que je vis, si je ne me comprends pas moi-même?

Comprendre c'est d'abord *écouter* l'autre, ce qu'il croit, ce qu'il pense. C'est aussi être présent à soi-même et être capable de dire ce que nous pensons et ce que nous croyons. Cette compréhension suppose:

a)   une connaissance et une acceptation de soi,
b)   une capacité de relations humaines affectives,
c)   une unité intérieure;
d)   une maîtrise de la réalité;
e)   une capacité de création;
f)   une adaptation au milieu.

Cette compréhension m'amène à l'*autonomie*.

Qu'est-ce que l'individu autonome?

C'est celui qui, étant capable de choix et de décisions personnelles, est en mesure de se prendre en main, de diriger sa propre barque et la conduire à bon port. L'individu se fait alors son propre guide, il devient l'agent auto-déterminant de son développement.

Un degré avancé d'autonomie conduit à l'authenticité. L'authenticité découle de la réalisation d'un haut niveau de connaissance de soi et de vie émotionnelle. Elle permet à la personne de réaliser cet autre besoin qui est l'*actualisation*.

Qu'est-ce que s'actualiser?

S'actualiser c'est avoir une perception juste de soi-même, ce qui nous permet d'employer tout notre potentiel à devenir ce que l'on est et tout ce que l'on est appelé à être. C'est le processus même de créer ou de produire qui est facteur d'actualisation. Nous employons l'énergie organismique et nous la canalisons pour transformer quelque chose. Ex.: une personne canalisera son énergie dans l'expérience d'aimer, dans une oeuvre spécifique. ex.: l'Arche, fondée par notre compatriote Jean Vanier pour la réhabilitation des handicapés mentaux.

Une autre se définira comme "personne d'action" dans une entreprise spécifique. Un autre se présente comme penseur, comme philosophe. L'autre est un mystique. Chacun a un rôle à remplir et il n'en tient qu'à nous de décider comment s'opérera la transformation de l'énergie organismique. Quels comportements adopterons-nous pour nous développer pleinement?

Plus le développement d'un individu est étendu et multidimensionnel, plus ses capacités intuitives sont fortes et plus il est en mesure de créer. L'énergie que nous déployons à créer est comparable à celle d'un champ électro-magnétique. Nous sommes attirés par ce que nous aimons, nous fuyons ce que nous redoutons. Nous pourrons nous réaliser quand nous serons à l'aise à tous les niveaux de nous-mêmes, en ne renonçant ni à l'émotionnel, ni au rationnel, ni à l'intuitif. Étant bien avec nous-mêmes, il nous sera possible d'être un élément d'influence positive dans la société où nous avons pris racine. Si cette société a des besoins, nous avons aussi les nôtres comme citoyens actifs dans cette société.

4.5   NOS BESOINS SOCIAUX

Besoins d'intégration

Le sentiment d'appartenance jour un rôle important dans notre évolution. Quelle participation pouvons-nous avoir dans une société qui se refuserait de nous reconnaître comme citoyen à part entière?

Nous sommes un rouage de cette grosse machine sociale. Nous y avons un rôle à jouer.

Une *participation* active exige des citoyens une préoccupation du bien collectif qui passera avant le bien individuel.

Comment réagissent les sociétés qui sont fondées sur l'avoir au détriment de l'être?

Les citoyens participent en autant que leurs intérêts sont en jeu. Les autres leur importent bien peu. Quand cette situation se généralise, il surgit des mouvements "contre-culture" qui permettent à des individus de se regrouper dans l'espoir de renverser la pyramide pour travailler au bien de la collectivité.

Ceux qui veulent s'intégrer à un mode de vie, à une culture donnée, sont souvent à la recherche de leur identité soit personnelle ou collective, sans laquelle toute motivation devient impossible.

Besoin d'identité

Tous les pays colonisés se sont réveillés un bon jour et se sont posé cette question. Qui sommes-nous? Quelle couleur locale avons-nous? Où allons-nous?

Ce sentiment d'identité a été si fort chez ces citoyens qu'ils ont été prêts à tous les risques. Fatigués d'être ballotés par les vagues du temps, à la merci de cultures étrangères, ils ont voulu répondre à leurs propres besoins culturels, s'exprimer dans leur langue, en un mot, prendre en main leur destinée dans:

Une interdépendance

Nous avons besoin de l'éventail des métiers et des professions. Il est évident alors que nous avons besoin des autres et que les autres ont besoin de nous. L'épicier de la place ou le boulanger, le médecin ou le mécanicien, ont tous un rôle aussi important que celui du premier ministre, car il est au service de la collectivité lui aussi. Ces différents rôles mis au service de tous confèrent des droits à:

Une sécurité financière

Pour vivre autonome, un salaire minimum s'avère indispensable. Il ne nous permet peut être pas de répondre à des besoins non essentiels, mais il assure au moins la vie et il valorise le travail.

Quand les échanges de services dans une société comme la nôtre remplaceront-ils les valeurs monétaires?

Il faudra peut-être attendre l'agonie de la société de consommation, qui cherche à combler l'insécurité psychologique au détriment du *besoin d'être*. En attendant, la meilleure sécurité sociale ne serait-elle pas d'avoir un travail où nous puissions nous exprimer en créant, d'avoir un but que nous puissions respecter et pour lequel nous soyons fiers de travailler?

4.6 NOS BESOINS SPIRITUELS

Nous avons un corps et il est habité d'une Présence, que nous en soyons conscients ou non. À toutes les époques du monde, l'homme a eu l'intuition de l'existence d'un Autre plus grand que lui. Son besoin de divinité a été si grand qu'il s'en est créé de tangibles. Tantôt ce fut le dieu de l'or, tantôt celui du pouvoir.

Les temps changent, mais l'homme continue d'être à la recherche d'autres dieux, jusqu'au moment où, étant insatisfait et las de ses trouvailles, il décide d'entrer à l'intérieur de lui-même à la découverte du vrai "royaume".

Nombreux sont ceux qui aimeraient se sentir solidaires d'un groupe religieux pour *exprimer leur foi*. D'autres préféreront la vie d'ermite; ils partent seuls, sans bagages, pour rencontrer Dieu.

En ce siècle de pluralisme où les hommes tendent vers l'unité dans la diversité, ils se rencontrent, hommes et femmes, choisissant de vivre l'oecuménisme. Ex: Taizé, en France. Ces gens veulent vivre l'Amour exprimé par l'accueil et l'ouverture. Ils n'ont aucune appartenance confessionnelle en tant que communauté; ils remplissent leur tâche commune dans une grande liberté d'expression.

Quelle que soit sa croyance, l'homme a besoin de savoir qu'il fait partie d'un groupe. Cette connaissance le stimule à se dépasser et à partager, mais peut être a-t-il besoin de naviguer seul de nombreuses années avant de découvrir ce besoin. Les groupes à caractère spirituel sont nombreux: *Cette diversité favorise-t-elle l'expression de foi chez tous ceux qui ont faim et soif de Dieu?*

Après avoir fait l'éventail des besoins fondamentaux de l'homme, nous constatons que même si nous sommes très différents, nous nous rejoignons tous au plus profond de l'être: nous avons également d'autres catégories de besoins que M. St-Arnaud appelle, *besoins structurants et besoins situationnels*.

Les besoins structurants découlent en quelque sorte des besoins fondamentaux. Ex.: j'ai besoin de m'alimenter. Dans la société où je vis, on prend trois repas par jour.

Il y a les structures que je me donne et celles qui me sont imposées par des normes sociales: de travailler de neuf à cinq heures, par exemple.

4.7   LES BESOINS SITUATIONNELS

Ce sont les besoins du moment. Ex.: j'ai faim à telle heure, j'ai sommeil à neuf heures, même si j'ai l'habitude de me coucher à minuit, etc.

Tous ces besoins s'ajustent, dans leur réalisation, à la personnalité de l'individu. Chacun crée sa propre hiérarchie de besoins selon ce qu'il vit. Il se peut que la satisfaction d'un besoin psychologique soit impératif pour combler un besoin physique. Ex.: si j'ai une forte tension psychologique, je serai incapable peut être de manger ou de dormir. Il s'avère urgent de trouver la cause de cette tension et d'y porter remède.

J'aurai mes propres mécanismes de défense pour adopter des attitudes constructives en face de ce que je vis. Ce sera tantôt une agressivité positive qui me fait agir, tantôt un défoulement qui m'éclairera sur la solution à prendre et me libérera.

La *tolérance à la frustration* nous aide à connaître nos limites et à ne pas gaspiller notre énergie inutilement. Cette prise de conscience nous fera trouver les stratégies que nous utiliserons pour nous en sortir et nous faire atteindre le niveau auquel nous aspirons.

Nous vivons dans un monde de relativité, d'où l'importance de se bien connaître pour répondre à ses besoins prioritaires et s'adapter au milieu.

4.8   QUESTIONNAIRE

1. Qu'est-ce qu'un besoin?

2. Quels sont les besoins fondamentaux, selon Maslow?

3. Quelle différence trouvez-vous entre l'énoncé de Virginia Henderson et Maslow?

4. Quels sont les deux éléments d'une bonne santé mentale?

5.. Quelle est la différence entre l'hygiène physique et l'hygiène sexuelle?

6. Quel est le besoin vital chez l'être humain?

7. Qu'est-ce que l'actualisation?

8. Quels sont les principaux éléments nécessaires à une bonne compréhension?

9. En quoi consiste le besoin d'intégration sociale?

10. Le besoin spirituel est-il un vrai besoin?

11. Quelle différence y a-t-il entre un besoin fondamental, un besoin structural et un besoin situationnel?

12. En quoi consiste la relativité dans la réalisation d'un besoin?

4.9   TRAVAIL PERSONNEL

Guide pour apprécier l'état de santé de quatre (4) personnes de ton entourage. y compris toi-même.

Enquête auprès de ces personnes, à savoir:

a)   que signifie pour eux "être en santé"?

b)   quels sont les besoins prioritaires ches ces personnes, à partir de l'échelle de Maslow?

c)   quels moyens prennent-ils pour améliorer leur santé?

d)   quels moyens favorisent-ils pour améliorer l'état du milieu?

L'homme et le vivant sont devenus le champ de préoccupation majeur de la société industrielle menacée de disparaître du fait même de ce qui fait sa richesse.

Aliéné, menacé de se sentir exclu par le système qu'il a engendré, l'homme est inquiet.

Les problèmes posés par le bruit, les relations père-mère-enfants, la pollution de l'air, l'éclairage, les "espaces verts", la "forme fonctionnelle", le préoccupent.

Dr Jean Trémolières

CHAPITRE CINQUIÈME

5.0 Nos facteurs d'adaptation

5.1 Facteurs physiques

5.2 Facteurs socio-culturels

5.3 Facteurs psychologiques

5.4 Questionnaire

5.5 Travail personnel

5.0 NOS FACTEURS D'ADAPTATION

Dans la vie de chacun de nous, la santé peut être considérée comme l'endroit spatial où nous pouvons le mieux manifester notre *vouloir vivre* personnel et collectif. Quelque soit l'endroit où nous sommes appelés à évoluer, nous avons à faire face à la réalité dans un monde en continuel changement. Cette réalité nous oblige souvent à avoir un seuil de tolérance élevé à la frustration.

Dans notre système éducationnel, il arrive que l'adaptation soit considérée comme positive et l'inadaptation négative.

Le Dr Dabrowski affirme: "les gens sensibles, délicats, créateurs, ont un seuil de tolérance plutôt bas". Ils peuvent parfois être considérés comme inadaptés, mais cette inadaptation peut être considérée comme positive.

L'inadaptation est un aspect de notre réaction à la frustration. Les conflits durant l'enfance, avec le milieu, à l'intérieur d'un groupe social et tout au long de la vie, provoquent souvent une inadaptation qui est positive.

Ces diverses situations suscitent un développement de la personnalité, chez ceux qui en ont la capacité, en créant des moyens pour faire face à ses difficultés.

Plusieurs difficultés retentissent fâcheusement sur notre cerveau: douleurs morales, émotions fortes, soucis matériels, sentiments refoulés, craintes, anxiété, etc. Ces dérèglements du psychisme ont pour conséquence de troubler le fonctionnement du système sympathique. L'expression populaire, "se faire du mauvais sang", est bien choisie. Il y a un état d'intoxication qui en résulte et un ralentissement dans le fonctionnement des centres végétatifs tels que: l'estomac, le foie, l'intestin, etc.

Dans son traité sur l'adaptation, le Dr René Dubos, biologiste français, affirme: "les concepts santé-maladie se situent au niveau du succès ou de l'échec expérimentés par l'homme dans ses efforts pour s'adapter à l'environnement. Ainsi le pouvoir d'adaptation représente une des composantes de la santé. Il y a aussi la puissance physiologique qui permet de réagir rapidement et efficacement aux situations difficiles qui surviennent.

Qu'est-ce que s'adapter?

Adapter signifie "être en accord". De cet accord résulte un équilibre, une harmonie qui nous permettent de vivre au rythme de nos sentiments.

Il y a un lien entre ce que nous vivons et ce que nous exprimons. Il y a *congruence*. Il nous faut donc une adaptabilité dynamique aux facteurs d'environnement qui affectent le comportement et le bien-être de la naissance à la mort, aux différentes étapes de croissance (phases du développement, selon Erikson).

Quels sont les différents facteurs d'environnement qui peuvent influencer notre adaptation?

Les facteurs physiques, socio-culturels et *psychologiques*.

5.1 FACTEURS PHYSIQUES

Dans les *facteurs physiques*, nous avons à notre portée: le sol, l'air et les eaux. Dans certains milieux, la pollution a atteint un degré si élevé de ces trois éléments, que la population est inquiète.

Elle se pose une question: Pourrons-nous survivre longtemps à cette pollution?

5.1.1 Le sol: L'influence du sol sur la santé des hommes est déterminée par sa composition et sa structure, par son humidité relative et les microbes qui s'y trouvent. Le sol a un rôle de premier ordre parmi les causes qui peuvent agir sur la santé et ceci s'explique par la propagation des maladies infectueuses et le contact incessant de l'homme avec les souillures et des hommes et des bêtes.

Ces principaux polluants sont connus depuis longtemps, tels: les ordures ménagères, principalement augmentées aujourd'hui avec l'utilisation des produits uni-dose, jetables après usage, les récipients en plastique, les bouteilles non-retournables, les boîtes et contenants de tout genre; les dépôts en surface des urines, déjections intestinales, expectorations, tpandages de vidanges, sont autant de facteurs qui contribuent à la pollution.

L'humidité du sol favorise la conservation de la vitalité des microbes, tandis que la sécheresse constante augmente le danger de poussières bacillifères. L'humidité exagérée ou le défaut de drainage, provoque une influence néfaste sur la santé et l'état sanitaire des habitations.

5.1.2 L'air: Beaucoup de facteurs aujourd'hui provoquent la pollution de l'air. Ces polluants proviennent principalement des résidus de combustion, des effluents industriels, des hydrocarbures chlorés, de certains produits pétrochimiques, de certains pesticides, des radio-éléments et des micro-organismes. Les résidus de combustion sont en proportion toujours croissante, par les gaz polluants dégagés par les automobiles, les camions à l'huile lourde ainsi que la combustion industrielle de charbon, bois et huile. Les effluents industriels comblent l'air de poussières vulnérables et toxiques (silice, amiante, fer, plomb, cuivre).

Faire parler le sol en le travaillant

De plus, les substances radio-actives menacent l'humanité par la surcharge sans cesse accrue de l'atmosphère en poussières qui proviennent des explosions expérimentales des engins nucléaires. La multiplication et l'emploi abusif de ces substances menacent l'intégrité physique et la survivance même de la race humaine. Ainsi, l'air atmosphérique, lorsqu'il est surchargé de poussières, empêche les rayons solaires de pénétrer et de détruire les microbes pathogènes. L'insalubrité est donc l'une des principales causes de mauvaise santé.

5.1.3 L'eau: Aujourd'hui l'on craint de manquer à un certain moment d'eau salubre, à cause de la pollution des eaux toujours croissante.

Les principales causes de pollution des eaux sont les déchets et les vidanges, les déjections intestinales et urinaires des hommes et des bêtes, les détritus de toutes sortes déversés dans les eaux des rivières et des lacs. L'eau est le moyen le plus employé pour se débarrasser des déchets de tout ordre tels: eaux ménagères, eaux des égoûts, eaux résiduaires des industries (tannerie, moulin à papier, distillerie, fabrique de colle forte).

Le caractère de l'eau dépend en grande partie du voisinage de la vie animale, des activités agricoles et industrielles.

5.2 FACTEURS SOCIO-CULTURELS

Les facteurs socio-culturels dans le milieu et l'environnement dépendent du type de société dans lequel l'individu est né. La famille, avec les parents, les frères et les soeurs, influencent l'individu en fonction des relations avec l'entourage. L'individu acquiert des modèles culturels du groupe où il se situe: groupe socio-économique, région, nation. La valeur du travail selon l'activité productrice et créative amène souvent à concevoir l'homme selon son métier: médecin, cultivateur, instituteur, ingénieur, etc. ou selon sa valeur professionnelle c'est-à-dire le rendement qu'il donne aux yeux de la société.

Donc, les coutumes, les valeurs culturelles et les habitudes de vie varient d'un individu à l'autre et influencent ses comportements qui se répercutent sur son état de santé.

5.3 FACTEURS PSYCHOLOGIQUES

Très tôt dans la vie, tout enfant arrive à la conclusion "je ne suis pas correct". Il fait également une constatation à l'égard de ses parents "vous êtes corrects". Cette position est la décision la plus déterminante de sa vie. Elle est enregistrée de façon permanente et influencera tout ce qu'il fera. Parce que c'est une décision, elle peut être remplacée par une nouvelle décision, mais seulement lorsqu'elle est comprise.

Dans son livre, "I'm O.K., You're O.K.", Thomas A. Harris nous présente les quatre positions de vie:

1. Je ne suis pas O.K.; vous êtes O.K.
2. Je ne suis pas O.K.; vous n'êtes pas O.K.

S'harmoniser avec les éléments air, eau

LES QUATRE POSITIONS DE LA VIE
selon Thomas Harris

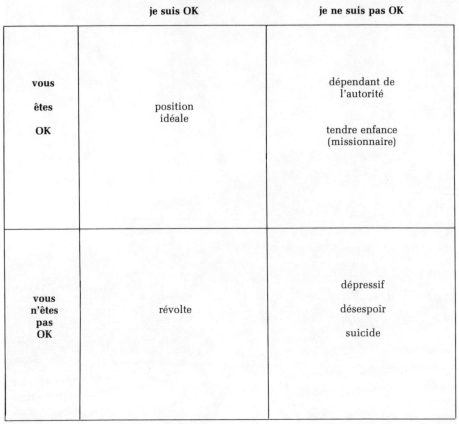

Figure 5.1

3. Je suis O.K.; vous n'êtes pas O.K.
4. Je suis O.K.; vous êtes O.K.

Dans la première position: *Je ne suis pas O.K., vous êtes O.K.,* la personne se sent à la merci des autres. Elle éprouve un immense besoin de caresses ou d'attention. Dans cette position, il y a espoir, parce qu'il y a source de caresses, même si ces caresses ne sont pas constantes.

Dans la deuxième position: *Je ne suis pas O.K., vous n'êtes pas O.K.,* l'enfant qui est à la fin de sa première année et qui commence à marcher, a besoin d'une mère chaleureuse. Si la mère est froide, les caresses physiques et psychologiques cessant, l'enfant peut souffrir de cet état d'abandon. Si la situation se continue pendant la deuxième année de vie, l'enfant conclut, "je ne suis pas O.K., vous n'êtes pas O.K." Dans cette position, l'individu cesse de se développer comme adulte puisque l'une de ses fonctions primaires, recevoir des caresses, est interrompue. Une personne dans cette position démissionne et il n'y a pas d'espoir.

Si un enfant est brutalisé par des parents qu'il avait d'abord jugés O.K., il passera à la troisième position: "je suis O.K., vous n'êtes pas O.K.". Cet enfant traversera la vie en refusant de regarder à l'intérieur de lui-même. Il est incapable d'être objectif dans ce qui lui arrive. C'est toujours "de leur faute". Les criminels incorrigibles, d'après Harris, occupent cette position.

Dans une quatrième position: "je suis O.K., vous êtes O.K.", il y a une différence qualitative avec les trois premières. Les premières ayant été faites tôt dans la vie, sont inconscientes. Elles sont fondées sur l'émotion ou les impressions qui n'ont pas été modifiées par la suite. La quatrième position est une décision consciente. Elle est fondée sur la pensée, la foi et la gageure de l'action. C'est une décision que nous prenons. A ce stade, l'individu veut être lui-même, rire quand il en a envie, pleurer quand il ressent de la tristesse. Quoiqu'il arrive, il est heureux de vivre ses sentiments tels qu'ils se présentent. Il aura sans doute des exigences qui s'opposeront à celles d'autrui tout en respectant l'autre. Cette attitude l'aide à se "sentir bien dans sa peau" et à éviter le stress inter-personnel. Cette philosophie favorise une capacité d'adaptation et prépare à une communication authentique et franche. Le Dr Selye définit la faculté d'adaptation comme étant "la base de l'homéostasie et de la résistance au stress". L'homme est fait pour vivre en symbiose avec son milieu. Il lui est possible d'être son propre médecin dans le stress interpersonnel en s'aidant d'une philosophie saine, en s'appuyant sur la nature et en entretenant des sentiments positifs d'amour.

5.4 QUESTIONNAIRE

1. Qu'est-ce que l'adaptation?

2. Qu'entend-on par une inadaptation positive?

3. Où se situent les concepts santé-maladie?

4. Quels sont les différents facteurs d'environnement qui peuvent influencer notre adaptation?

5. Décrivez les facteurs physiques.

6. En quoi consistent les facteurs socio-culturels?

7. Nommez deux facteurs psychologiques qui influencent notre adaptation?

8. Qu'est-ce que le Dr Selye entend par faculté d'adaptation?

9. Qu'entend-on par l'expression "être bien dans sa peau"?

10. Dans quelle position vous placez-vous, selon la théorie de Thomas A. Harris?

5.5   TRAVAIL PERSONNEL

"Le citoyen protège son environnement"

1. Après avoir pris contact avec des groupes qui travaillent à vaincre la pollution, rédigez un travail de cinq à dix pages sur les projets qui sont en marche actuellement, et énoncez le travail personnel que vous voulez entreprendre comme citoyen pour vaincre la pollution dans votre milieu et protéger votre environnement.

2. Définissez votre position personnelle d'après la théorie de Harris: "en accord avec soi et avec les autres".

LE CORPS, LIEU DE L'HOMME

Pour l'athlète, le corps est le lieu
                du dépassement;
Pour l'artiste et l'homme de science, celui
                de la fascination,
Pour l'ouvrier, celui
                de la construction du
                monde;
Pour la mère, celui
                de la vie;
Pour l'homme et la femme, le lieu
                de la tendresse.

Richard Kennedy

CHAPITRE SIXIÈME

6.1 Apprendre à communiquer

6.1 Les ordres du langage et ses composantes

6.2 Les effets des signes non verbaux sur les récepteurs

6.3 Les points importants d'une bonne communication

6.4 Les attitudes fondamentales d'une bonne communication

6.5 Questionnaire

6.6 Travail personnel

6.0   APPRENDRE À COMMUNIQUER

Pour communiquer l'homme utilise le langage sous différentes formes: le langage verbal et le non-verbal. Quelle que soit la forme qu'il utilise, il exprime ce qu'il est et il remplit à tour de rôle, celui de récepteur et d'émetteur.

6.1   LES FORMES DU LANGAGE ET SES COMPOSANTES

Le *côté social* de tout langage est relié au bagage socio-culturel. Le côté *individuel* correspond à l'acte. Cet acte peut être de toute nature, un geste (équivalent visuel de la parole), il peut consister dans un art (le dessin), un savoir-faire, (une technique de réanimation cardio-respiratoire) etc... Ce côté individuel nécessaire à la codification d'un message, se retrouve au moment de la réception pour en permettre le décodage.

Les composantes du langage-message

Il y a: le signe, le signifié, le signifiant et la signification. Le *signe* est un chaînon du langage; il est un élément indissociable du langage-message.

Le *signifié* se situe sur le plan du contenu du message.

Le *signifiant* est la manifestation du signe (expression faciale, attitude, émotion, geste, mimique, intonation vocale, etc.).

La *signification* est l'acte qui unit le signifié et le signifiant.

Exemple: Vous recevez un télégramme qui contient le message suivant:
              "Vous êtes bienvenu chez-moi".

Le signifié est: les contenu de ce message qui est une *invitation*.

Le signifiant: cette invitation s'est manifesté par *télégramme* qui est un signe.

La signification: c'est une invitation faite par télégramme.

Le processus de la communication

1) Émetteur: C'est quelqu'un qui désire transmettre un message.

2) Codage: Le message est codé en un signifié par une convention selon la langue et la culture.

3) Organe transmetteur: C'est la forme que prend le signifiant dans le medium.

4) Medium: Le medium transporte le signifiant de l'organe trans-

metteur à l'organe récepteur.

5) Organe récepteur: Il reçoit le signifiant et le transforme en signifié.

6) Décodage: Le signifié est décodé par la même convention que celle du codage.

7) Récepteur: Il comprend le message du transmetteur.

À titre d'exemples voici quelques moyens de communication:

a) *Voix:* Pierre parle à Pierrette

Émetteur: Pierre a un message à transmettre qui a sa signification propre.

Codage: Pierre choisi une langue commune entre lui et le récepteur, Pierre code son message en paroles qui font vibrer ses cordes vocales.

Organe transmetteur: Les cordes covales font vibrer l'air.

Médium: L'air transporte le son vers l'oreille de Pierrette.

Organe récepteur: L'oreille de Pierrette reçoit le son qui se transforme en impulsions dans l'oreille interne.

Décodage: Ces impulsions sont décodées en signifié original.

Récepteur: Pierrette comprend le message de Pierre.

b) *Écrit:* Pierre écrit une lettre à Pierrette

Émetteur: Pierre a un message à transmettre avec une certaine signification.

Codage: Pierre choisit dans son écrit la langue que Pierrette comprend pour transformer la signification en signifié.

Organe transmetteur: La main de Pierre écrit sur le médium une série de signes ou signifiants

Médium: Le médium est une feuille de papier qui a le signifiant.

Organe récepteur: Les yeux de Pierrette voient la feuille de papier et le signifiant qu'elle contient.

Décodage: Pierre reconnait les signes écrits sur la feuille et les transforme en signifié original.

Récepteur: Pierrette comprend le message de Pierre.

COMMUNICATION ENTRE DEUX HOMMES

Moyen de communication	Émetteur	Codage	Organe trans-metteur	Medium signi-fiant	Organe récep-teur	Décodage	Récepteur
Message verbal Voix	Cerveau de Pierre	langage parlé	cordes vocales	air ondes sonores	oreille	langage parlé	Cerveau de Pierrette
Message écrit Vue	Cerveau de Pierre	langage écrit	main qui écrit	écrit sur papier	oeil	langage écrit	Cerveau de Pierette
Message non verbal	Cerveau de Pierre	conven-tion	geste	espace	oeil	conven-tion	Cerveau de Pierrette
Télépathie	Cerveau de Pierre	Aucun	cerveau	espace	cerveau	aucun	Cerveau de Pierrette

Figure 6.1

Communication non-verbale

6.2   LES EFFETS DES SIGNES NON-VERBAUX SUR LES RÉCEPTEURS

Les signes non-verbaux ont quatre fois plus d'effet que les signes verbaux sur les attitudes des récepteurs. Ex.: le regard de l'autre dans "L'Être et le Néant" de Sarte est décrit comme "pétrifiant, transformant l'interlocuteur en chose et le privant de sa liberté".

En 1827, Darwin s'intéressait à la communication non-verbale dans son traité sur "l'expression des émotions chez l'homme et l'animal". Il concluait que certains mouvements vont de pair avec certaines émotions. Ex.: lorsque le chat fait le gros dos et que ses poils se hérissent, il nous annonce qu'il est en colère et prêt à l'attaque.

Les découvertes faites chez les animaux s'appliquent chez l'homme. L'expression du visage, la position du corps, les mains, les yeux, ont une valeur de communication souvent supérieure au langage parlé. Ces signes révèlent ce que nous sommes: notre vrai moi est mis à nu.

6.3   LES POINTS IMPORTANTS D'UNE BONNE COMMUNICATION AU POINT DE VUE PERCEPTUEL

1. Voir les faits tels qu'ils sont
2. Vérifier ses hypothèses psychologiques (interprétations, projections)
3. S'exprimer au moyen du langage verbal et non verbal
4. Être un émetteur précis et un récepteur ouvert, sans préjugé, qui n'interprète pas sans vérification et prêt à recevoir l'émetteur
5. Savoir écouter.

Plus nous vivons près de nous-mêmes, plus nous sommes conscients de nos goûts, de nos actions, de notre physique, de nos sentiments, plus la communication peut être claire. La communication permet de nous rendre conscients de choses que nous ignorions et même de clarifier notre pensée.

Comment peut-on réagir comme récepteur
dans une communication?

1. Par un *"feed-back"* nul. On garde ses impressions pour soi.
2. Par un *"feed-back"* évaluatif. On porte un jugement de valeur soit négatif ou positif. Ex.: l'héritière qui reçoit une demande en mariage et qui évalue la sincérité de son prétendant, à tort ou à raison, en lui disant qu'il veut la marier pour son argent.
3. Par un *"feed-back"* descriptif. Ex.: vous êtes témoin d'un accident. Vous le décrivez tel que vous l'avez vu. La communication augmente à ce niveau, car vous décrivez des comportements.
4. Par un *"feed-back"* vécu. Ex.: vous êtes impliqué dans un accident. Vous le racontez, le traduisant en terme de vos émotions et vos sensations. La communication ici est poussée au bout à cause du réalisme et du "vécu" de votre récit.

6.4 LES ATTITUDES FONDAMENTALES D'UNE BONNE COMMUNICATION

a) faire confiance
b) avoir de l'empathie
c) s'accepter soi-même et accepter l'autre tel qu'il est
d) être authentique

a) *Faire confiance,* c'est avoir foi en l'autre, lui permettre d'exprimer les profondeurs de son être tel qu'il le désire, et être soi-même devant lui.

b) *L'empathie.* Être empathique, c'est mettre ses sentiments au diapason de l'autre, entrer dans son monde, aller au-delà des mots, saisir comment l'autre se sent intérieurement. Quelle est sa vision des choses? Qu'est-ce qu'elle ressent vis-à-vis d'elle-même? (Quelle est son attitude en face de sa vie?).

c) *S'accepter et accepter l'autre tel qu'il est.* Pour arriver à s'accepter vraiment et accepter l'autre tel qu'il est, il faut connaître les rapports entre humains.

Une étude a été faite sur le comportement humain par Eric Berne, qui a créé un système unifié de psychiâtrie sociale et individuelle en nous présentant le concept de "l'analyse transactionnelle". Le développement de cette méthode s'appuie sur les recherches du Dr Wilder Penfield, neurochirurgien de Montréal. Ses recherches tentent à prouver que les expériences et les sentiments enregistrés par le cerveau, même avant la naissance, sont susceptibles de reparaître aujourd'hui sous une forme aussi vivante que lorsqu'ils se sont produits, et qu'ils fournissent la plupart des données qui déterminent la nature des transactions d'aujourd'hui.

Qu'est-ce que l'analyse transactionnelle?

C'est un système qui étudie la communication entre humains, qu'il s'agisse des rapports entre deux personnes, entre un individu et un groupe de personnes.

Ce système enseigne que le succès ou l'échec des diverses transactions (échanges entre personnes) s'explique par la nature et l'origine de ces échanges. Après observations, l'auteur constate qu'il y a trois composantes de personnalité chez chaque individu: le *Parent,* l'*Enfant* et l'*Adulte.* En connaissant ces diverses composantes, la personne peut arriver à clarifier ses rapports avec elle-même et avec les autres qui l'entourent. Elle peut analyser ses comportements et améliorer sa communication. Ces trois états: le *Parent,* l'*Enfant* et l'*Adulte* sont des réalités psychologiques.

Le *parent:* c'est l'ensemble des enregistrements dans le cerveau, des événements extérieurs imposés, perçus par un individu au cours des cinq premières années de sa vie.

L'*enfant*: c'est l'ensemble des événements intérieurs, l'enregistrement des sentiments éprouvés en réponse aux situations extérieures vécues avant l'âge de cinq ans. Ex.: sentiments de frustration, de rejet ou d'abandon. Sentiments de créativité, désir de savoir, d'expérimenter. Dans la réalité *Enfant*, nous pouvons rencontrer un enfant heureux ou malheureux.

L'*adulte*: c'est une composante qui commence à se développer vers l'âge de dix mois et qui coïncide avec l'expérience de marcher. L'enfant découvre qu'il peut faire quelque chose par ses propres moyens. Cette actualisation de soi est le commencement de l'Adulte.

L'Adulte actualise les données du Parent pour déterminer ce qui est valable et ce qui ne l'est pas; il actualise les données de l'Enfant pour déterminer les sentiments qui peuvent être exprimés. Il peut surgir dans cette réalité psychologique une *contamination*. Ce sont les difficultés qui apparaissent lorsque les limites des trois composantes de la personnalité ne sont pas assez solides. Elles viennent de ce que l'on appelle la contamination de l'*Adulte*.

L'Adulte peut être contaminé par le Parent, comme il peut l'être par l'Enfant.

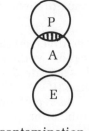

a) contamination par le
Parent
Figure 6.2

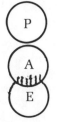

b) contamination par
l'Enfant
Figure 6.3

Le chevauchement de A sur P est la contamination de l'Adulte par le Parent, qui consiste en des préjugés de toutes sortes, des données anciennes qui n'ont pas été examinées et qui sont extériorisées comme vraies. Ex.: celle qui n'a pas de nombreux enfants a manqué à son devoir d'épouse.

Le chevauchement dans la figure 6.3 est la contamination de l'Adulte par l'Enfant sous forme de sentiments ou d'expériences archaïques qui sont extériorisées de façon inappropriée dans le présent. Ex.: l'enfant qui a doublé une année scolaire, et qui garde un sentiment d'échec toute sa vie. Il est bloqué à chaque fois qu'il veut entreprendre quelque chose.

Une autre réalité psychologique qui peut se présenter est l'*exclusion*. L'exclusion est une situation dans laquelle un enfant rejette le Parent. Elle se manifeste par une attitude stéréotypée, prévisible, qui est maintenue aussi longtemps que possible en face d'une situation menaçante.

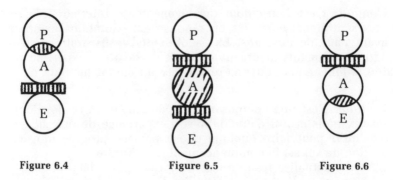

Figure 6.4   Figure 6.5   Figure 6.6

Exemple: (figure 6.4)   l'adulte contaminé par le Parent, avec un Enfant exclu, c'est l'homme dominé par le devoir, qui ne s'occupe que d'affaires et ne peut participer à aucune fête ou réjouissance. Il existe des cas où l'Adulte est exclu et où il n'est pas en contact avec la réalité. C'est alors la psychose (figure 6.5).

Si c'est le Parent qui a été exclu (figure 6.6) il n'aura aucun sentiment de gêne, de honte ou de culpabilité. Exemple: le père qui s'entête avec son fils, même s'il sait que celui-ci a raison, sous prétexte qu'il est le chef de famille.

L'analyse transactionnelle est donc l'étude des diverses transactions qui se produisent à l'occasion d'une communication verbale ou non-verbale entre humains. Elle vise à déterminer, s'il s'agit de deux personnes, quelle composante de la personnalité de chacune (P - A - E) est active pendant cet échange et quelle partie de la personne réagit quand nous sommes l'émetteur ou le récepteur dans une communication.

Il y a deux types de transaction: la transaction parallèle ou complémentaire et la transaction croisée ou non-complémentaire.

La transaction est complémentaire quand elle se fait entre P et P, A et A, E et E (figure 6.7).

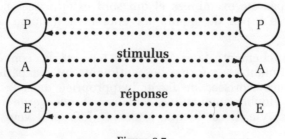

Figure 6.7

La transaction qui se fait de E à P, de E à A ou de A à P est aussi complémentaire (figure 6.8).

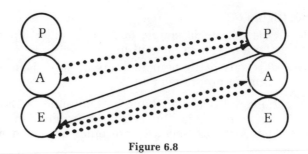

Figure 6.8

L'analyse de ces diagrammes nous amène à la première règle de la communication dans l'analyse transactionnelle: lorsque le stimulus et la réponse sur le diagramme transactionnel P - A - E forment des lignes parallèles, la transaction est complémentaire et peut durer indéfiniment.

La qualité de la communication et la gratification qu'elle apporte dépend des composantes qui interviennent dans la transaction.

La transaction croisée (figure 6.9). Cette transaction est cause de trouble. Ce genre de transaction part de l'Adulte et s'adresse à l'Adulte, mais la réponse est déviée et part du Parent pour s'adresser à l'enfant.

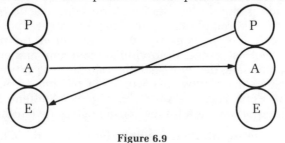

Figure 6.9

Ce type de transaction conduit à une impasse. Quand le stimulus et la réponse se croisent sur le diagramme transactionnel P - A - E, la communication cesse. Exemple de transactions croisées:

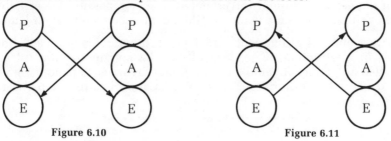

Figure 6.10   Figure 6.11

Exemple: (figure 6.10)

(P) *Mère* — "va ranger ta chambre".

(P) *Fille* — "tu n'as pas d'ordre à me donner, tu n'es pas la patronne ici; c'est papa qui est le patron.

Exemple: (figure 6.11)

(E) *Fille* — "je déteste la soupe; je ne la mangerai pas; tu ne sais faire que de la ratatouille".

(E) *Mère* — "je vais partir pour toujours de la maison et tu pourras faire ta propre ratatouille".

Ces transactions ont lieu dans l'une ou l'autre des activités auxquelles nous consacrons notre temps. Que ce soit au travail, dans les loisirs ou dans l'intimité, nous sommes toujours confrontés à nous-même et à l'autre.

Une vie en harmonie suppose que le Parent, l'Adulte et l'Enfant en nous soient bien intégrés, s'entendent les uns avec les autres.

Pouvons-nous nous situer en face de l'autre et être conscient du type de communication que nous engageons?

Plus nous prendrons conscience du type de relation que nous engageons, plus notre communication sera authentique.

d) *Être authentique.* L'authenticité est un aspect d'une personnalité saine. Les névrosés et les individus socialement mésadaptés, que Fromm et Horney ont décrits comme étant ceux qui ont réprimé ou refoulé une grande partie de leur moi réel, de leurs réactions spontanées à leur expérience. Ils remplacent leur comportement spontané par une conduite censurée. Ils se conforment à une définition de rôle rigide. Quand le moi réel est exclu, l'individu ressent une anxiété; il peut ressentir des maux de tête, des indigestions. Dans les cas extrêmes, où le moi réel a été étouffé, une explosion de toute la personne peut se produire: c'est alors une dépression nerveuse. Les gens étouffent leur moi réel, parce qu'ils ont appris à craindre les conséquences de l'authenticité.

L'autre est menaçant. Pouvons-nous être assuré de la compréhension de l'autre?

La personne authentique a toute liberté d'être ce qu'elle est le plus profondément et le plus complètement devant un récepteur. Elle ne court aucun danger à s'affronter ouvertement avec ses possibilités et faiblesses qu'elle voit en elle-même parce qu'elle a confiance en elle et en l'autre.

La communication peut être facteur d'harmonie et d'équilibre ou facteur de destruction et de déséquilibre. La communication est étroitement liée au "concept santé", car elle peut favoriser l'épanouissement de l'être dans toutes ses formes d'expression et aider l'autre à se réaliser.

6.5 QUESTIONNAIRE

1. À quoi est relié le côté social de tout langage?
2. Qu'entend-on par acte dans le langage?
3. Quel est le processus de toute communication?
4. En quoi consiste le décodage du langage?
5. Quelles sont les composantes du langage-message?
6. Quels sont les points importants d'une bonne communication?
7. Comment peut-on réagir comme récepteur dans une communication?
8. Quelles sont les attitudes fondamentales d'une communication?
9. Qu'est-ce que l'empathie?
10. Qu'est-ce que l'analyse transactionnelle?
11. Quelle est la composante de votre personnalité qui prédomine?
12. Quel type de communication engagez-vous?
13. Quels sont les obstacles à l'authenticité

6.6 TRAVAIL PERSONNEL

Sujet: Relation d'aide à la personne âgée

Objectifs: observer et décrire les besoins particuliers d'une personne âgée en *bonne santé.*

— présentation et description de la personne choisie
— dans quel environnement vit-elle?
— quels sont ses besoins?
— lesquels vous ont semblé prioritaires?
— lesquels sont prioritaires pour elle (à son avis)?
— comment la société peut-elle aider cette personne à satisfaire ses besoins?
— que pouvez-vous faire pour aider cette personne?

ENTREPRENDRE UNE ACTION POSITIVE DANS LE MILIEU

Dans cette deuxième partie, nous aurons donc comme objectif:

Entreprendre une action positive dans le milieu

PRINCIPES DE CETTE ACTION POSITIVE:

Chapitre 7
Améliorer la qualité de la vie
L'environnement interne de l'homme est en relation directe avec son environnement externe.

Chapitre 8
Prévenir la maladie
L'amélioration des méthodes de travail et l'augmentation des connaissances sur le plan hygiène favorisent un mieux être physique, psychologique, social et spirituel.

Chapitre 9
Promouvoir la santé
L'individu sachant qui il est et ce qu'il peut, travaillera à travers les organismes qu'il a mis en place à sauvegarder la santé sous toutes ses formes et à la promouvoir dans son milieu.

Chapitre 10
L'individu agent de sa propre santé
La vie est une projection en avant, c'est un processus dynamique qui s'inscrit de la jeunesse à la vieillesse. L'individu qui veut vivre en santé utilisera efficacement les facteurs de vitalisation qui sont mis à sa disposition et supprimera volontairement les facteurs de nuisance qui l'empêcheraient de vivre sainement.

CHAPITRE SEPTIÈME

7.0 Améliorer la qualité de la vie

7.1 L'homme dans son environnement

7.2 Les maladies de civilisation

7.3 Solutions individuelles

7.4 Solutions collectives

7.5 Questionnaire

"Le concept d'un environnement optimal n'est pas réaliste parce qu'il implique une vue humaine statique.

Planifier pour le futur demande une attitude écologique basée sur l'hypothèse que l'homme apportera toujours des changements par le potentiel créateur inhérent à sa nature biologique.

Le constant feedback entre l'homme et son environnement implique un changement continuel de l'un et de l'autre."

René Dubos

7.0   AMÉLIORER LA QUALITÉ DE LA VIE

L'analyse des tendances de la morbidité montre que l'environnement général est le premier déterminant de l'état de santé global de toute population. Ce sont les conditions de logement et de travail, l'alimentation, etc....

7.1   L'HOMME DANS SON ENVIRONNEMENT

Prendre conscience de la qualité de la vie, c'est se faire une idée réaliste de ce qu'est l'homme dans son environnement. Nos conditions d'existence nous permettent-elles d'être plus humains, plus nous-mêmes?

Les sciences humaines ont apporté un nombre prodigieux de connaissances nouvelles sur l'homme, son histoire, son milieu, sa culture, sa mentalité. Elles nous ont donné diverses techniques qui ont une influence aujourd'hui sur notre vie quotidienne. L'orientation professionnelle, les relations publiques, la publicité, les études de marché, les psychothérapies, etc... Ces techniques ont profondément modifié l'image que l'homme se faisait de lui-même, de son corps, de son esprit, des relations humaines et de la vie en général.

Voici un extrait d'un discours du Chef indien Dan George, prononcé à la Conférence de l'Association Canadienne de l'Education en mai 1970 à Banff:

"Ce n'est qu'hier que les hommes ont réussi à s'envoler autour de la lune et c'est demain qu'ils réussiront à fouler sa surface stérile. C'est un sujet d'émerveillement pour tous que les hommes puissent voyager si loin et si rapidement. Ils ont voyagé loin, bien sûr, mais moi, j'ai voyagé plus loin encore... Car je suis né il y a un millénaire; né d'une culture ayant la flèche et l'arc comme base... Et voici que durant le bref intervalle d'une moitié de vie d'homme, je me vois projeté à travers les millénaires de l'ère atomique, et la distance de l'époque de l'arc et de la flèche à celle de la bombe atomique est une trajectoire dépassant de très loin un voyage vers la lune".

Malgré le progrès qui a transformé l'existence, pourquoi l'homme a-t-il tant de mal à trouver les moyens d'être humain?

Dan George a encore un message à nous donner:

"Je suis né à l'époque où l'homme aimait la nature entière et en parlait comme si elle était animée d'une âme. Dès ma très tendre enfance, j'ai souvenance d'avoir navigué la rivière Indienne en compagnie de mon père, de l'avoir vu observer le soleil embraser tout entier les sommets du mont Pay-nay-nay.

Puis des étrangers sont venus parmi nous... Une véritable vague humaine déferlante, destructrice..., bousculant les années devant elle, dans sa course effrénée! Et tout jeune homme que j'étais, je me suis tout à coup senti projeté au coeur même du 20e siècle."

DANS QUELS MONDES?

Dans les deux mondes que l'homme a créés et qui sont en déséquilibre et en conflit. Ces deux mondes sont la *biosphère* et la *technosphère*.

Dans la *biosphère* nous avons les maladies que nous connaissons:

— Cardio-vasculaires

— Respiratoires

— Cancers

— Maladies chroniques

— Suicides

— Troubles psychiatriques

— Accidents.

Et le monde de la *technosphère,* nous fournit:

— Pollution (air, sol, eau)

— Bruit

— Suralimentation

— Surpeuplement des villes

— Sédentarité

— Impersonnalité

— Industrialisation

— Abus de médicaments et de drogues

— Vitesse et stress.

La crise *écologique* d'aujourd'hui nous a conduit à:

— La dégradation de la qualité du milieu de vie de l'homme

— la beauté et la diversité de la qualité sont de plus en plus bafouées

— les problèmes de pollution et les nuisances industrielles sont de plus en plus difficiles et coûteux à corriger

— l'épuisement accéléré des ressources naturelles de la terre

— l'absence de planification et d'utilisation du sol due à une croissance démographique galopante

— la dégradation et l'épuisement des sols entraînant une diminution des capacités de production agricole, forestière et faunique

— une alimentation de plus en plus chimique et artificielle

— l'éloignement de l'homme de la nature et la mise en péril de la faune et de la flore

— la centralisation des pouvoirs économiques et politiques favorisant le gigantisme des institutions économiques, scolaires, sociales et gouvernementales

— la diminution des possibilités pour l'homme d'imaginer et de contrôler son avenir individuel et collectif

— la diminution des capacités physiques et intellectuelles de l'homme résultant d'une dépendance de plus en plus grande vis-à-vis du confort engendré à la surabondance matérielle

— la dépendance d'une uniformisation d'un style de vie à des modèles standardisés limitant les possibilités de diversification du mode de vie

— les nuisances morales et le stress résultant d'une société où la consommation de biens matériels constitue le moteur du soi-disant progrès et de la structure économique

— les nuisances morales engendrées par la rareté grandissante des liens affectifs due à un rythme de vie de plus en plus rapide

— l'exploitation de l'homme par l'homme: les déséquilibres croissants entre riches et pauvres, entre peuples et les autres, causes des injustices sociales et sources de la plupart des conflits, des opressions et des guerres

— le durcissement des relations entre les hommes, engendré par une société foncièrement mâle caractérisée par une soif de pouvoir et de domination qui empêche l'individu d'être à l'écoute de lui-même et de son environnement

— la dépendance grandissante de l'homme à l'égard de la matière, de l'argent, de la science et de la technologie

— la recherche du profit, course à la surproduction et à la surconsommation

— le gaspillage sous toutes ses formes

L'homme fait partie de la nature et toutes ses activités doivent contribuer à maintenir cet équilibre délicat qui est à la base de la vie sur terre.

QUELQUES ÉLÉMENTS QUI POLLUENT L'HOMME

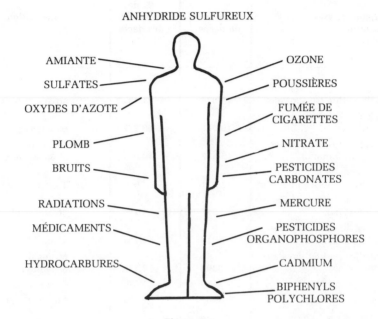

Figure 7.1

7.2   LES MALADIES DE CIVILISATION

L'homme, faisant partie intégrante du milieu, en subit les conséquences. Les maladies dites de "Civilisation", sont éloquentes. Une maladie de "Civilisation" se définit par le GENRE de VIE, le NIVEAU de VIE,
la QUALITÉ de VIE. Afin de concrétiser ces dires, prenons une société
près de nous: la *Société Québécoise*. Regardons la fig. 7.2: Quelles sont les
causes de décès et les causes des différentes maladies qui nous affligent?

Comment l'homme en est-il arrivé à une situation aussi critique?

1.   Il a répondu au besoin de produire des biens et de les échanger
2.   Au désir d'acquérir des connaissances pratiques
3.   A la puissance organisatrice

1971-77			
Principales causes de mortalité	**Nombre de décès**	**% de l'ensemble des décès**	**Age critique**
1) Cardiopathie ischémique	48 975	31,1%	40 ans et plus
2) Maladies cérébro-vasculaires	16 067	10,2%	65 ans et plus
3) Maladies respiratoires et cancer du poumon	15 677	10,0%	Moins d'un an et 55 ans et plus
4) Accidents de la route et tous les autres accidents	12 031	7,6%	Tous les âges
5) Cancer de l'appareil gastro-intestinal	7947	5,1%	50 ans et plus
6) Cancer du sein, de l'utérus et des ovaires	4816	3,1%	40ans et plus
7) Maladies particulières aux nouveau-nés	3299	2,1%	Moins d'une semaine
8) Suicide	2559	1,6%	15 à 65 ans
9) Anomalies congénitales	1967	1,3%	Moins d'un an
TOTAL:	113 338	72,1%	
TOTAL DES DÉCÈS:	157 272	100,0%	

Figure 7.2

Fait à noter, les principales causes actuelles de décès sont maintenant dues aux maladies chroniques (1, 2, 3) et aux accidents (4) et non pas aux maladies infectieuses (7) qui représentent un nombre relativement faible de décès. Cette particularité marque un changement radical, si l'on se réfère à la situation au début du siècle alors que les principales causes de décès étaient d'abord, les maladies infectieuses telles que la grippe, la pneumonie, la tuberculose, la gastro-entérite, la néphrite.

Reprenons de façon sensiblement différente le tableau de la page précédente, en faisant un parallèle entre les maladies et leurs causes. Nous serons alors en mesure de voir l'influence évidente de l'environnement.

MALADIES	CAUSES
CARDIO-VASCULAIRES	Pollution (air, sol, eau, bruit, aliment, etc...).
RESPIRATOIRES	Suralimentation Surpeuplement des villes
CANCERS	Promiscuité Sédentarité
CHRONIQUES	Impersonnalité Industrialisation
SUICIDES, TROUBLES PSYCHIATRIQUES	Vitesse et stress Hausse de l'espérance de vie Abus de médicaments, drogues...
ACCIDENTS	. . . .

Figure 7.3

Nous avons des solutions individuelles et collectives à trouver.

7.3 SOLUTIONS INDIVIDUELLES

Ces solutions individuelles doivent tenir compte des éléments principaux sur lesquels repose la *conception globale de la santé* qui sont:

1) La Biologie humaine
2) L'environnement
3) Les habitudes de vie
4) L'organisation des soins de santé

7.3.1 La Biologie humaine

Elle englobe tous les aspects de la santé de nature endogène, tels que: l'héritage génétique, le vieillissement, les effets de la puberté, les processus métaboliques, la maturité.

7.3.2 L'environnement

Tous les facteurs tant physiques que sociaux qui influencent la santé de l'individu et auxquels il ne peut se soustraire Exemple: En ce qui regarde les facteurs physiques: *une épidémie* de grippe. Au point de vue social: *la pollution de l'air.* "L'analyse des tendances de la morbidité montre que l'environnement général est le premier déterminant de l'état de santé global de toute population", Ivan Illich.

Un monde à refaire

L'homme et la nature doivent être changés, transformés, construits, réorganisés, devenir ce qu'ils ne sont pas, c'est-à-dire maîtriser son devenir au plan *nature, individuel et social.* La nature a été mise au service de l'homme. Il a à creuser son sein, canaliser ses eaux, déplacer ses eaux, déplacer ses montagnes, extraire sa substance, analyser et mesurer ses ressources, partager son sol, entre personnes, groupes, nations, établir des lois de propriété et des droits territoriaux, vendre ses terrains, introduire des réformes agraires selon la justice sociale. L'homme se prend en charge, il devient autonome: auto-détermination, auto-gestion, auto-perfectionnement. Il est un créateur RESPONSABLE.

7.3.3 Les habitudes de vie

Il se réfère à toutes les habitudes ou décisions personnelles qui peuvent contribuer à améliorer la santé ou la détruire et sur lesquelles l'individu peut exercer un certain contrôle.

Dans bien des cas de nos jours, quelques médecins généralistes affirment que 75% des personnes qui se présentent à leur bureau ne présentent pas de lésions organiques. Ils viennent chercher chez le médecin un réconfort autant qu'un traitement.

On leur donne souvent le nom de psychosomatique et on les traite avec des médicaments coûteux et toxiques. Il s'établit une complicité entre médecin et client. Le médecin pour être accepté de son client sait qu'il doit lui prescrire des médicaments. Ce dernier se sent rassuré et compris, il ne pensera pas à analyser la situation qu'il vit pour changer ses habitudes malsaines, mais il demandera à son médecin d'en atténuer les effets.

Si vous n'en pouvez plus, que vous êtes exténués, vous perdez le sommeil, l'appétit, n'auriez-vous pas besoin d'un bon huit jours de repos au lieu d'un médicament chimique qui atténuera votre état sans en enlever la cause. La maladie est souvent la réponse inévitable d'un individu à une situation qu'il ne peut accepter, une grève de santé.

7.3.4 L'organisation des soins

L'organisation des soins se réfère donc à la qualité, à la quantité, à la disposition de la nature et à la relation entre les personnes ressources (équipe multi-disciplinaire). L'aspect de relation inter-personnelle basée sur la connaissance des besoins de santé de l'individu facilitera son adaptation à l'environnement.

La santé est un droit pour l'homme. Les gouvernements en ont pris conscience et ont mis sur pied des programmes préventifs qui ont pour but de fournir à l'individu des connaissances et des moyens de vivre sainement. Certaines statistiques indiquent l'efficacité de ces programmes préventifs: Exemple: la mortalité due aux maladies cardiaques a diminué de 2% au cours de ces dernières années passant de 51% à 49%. Les éducateurs sanitaires ont conscience de la lutte à soutenir pour amener l'individu à modifier son mode de vie. La santé impliquant un état d'harmonie et d'équilibre entre l'esprit, le corps et le milieu extérieur, s'attaquer aux véritables causes de la maladie est une exigence qui demande:

1. De bonnes conditions de vie:
   l'hygiène et l'alimentation sont des facteurs déterminants
2. L'amélioration des conditions de travail
3. Un logement adéquat
4. Des espaces verts, des terrains de jeux
5. Éviter le stress nuisible occasionné par le rythme de vie

7.4 SOLUTIONS COLLECTIVES

D'autre part, sur le *Plan collectif*, nous tiendrons compte des caractéristiques de l'environnement, et des interventions de l'Homme dans l'environnement.

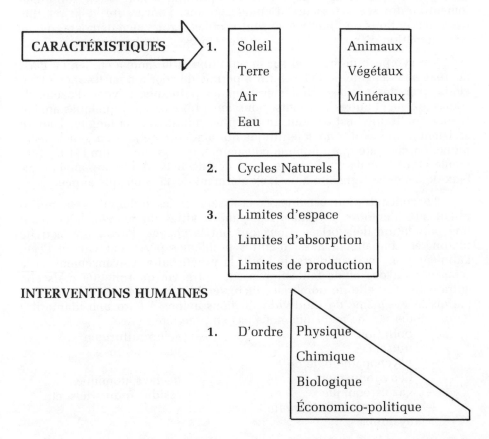

> **2.** Plus ou moins contrôlées
>
> Sans visée prospective

L'ENVIRONNEMENT en subit:

LES CONTRECOUPS .... Explosion démographique

.... Croissance économique continue

.... Pollution

L'homme se fait lui-même dans les deux mondes qu'il habite. L'un est le monde des sols, des eaux, des plantes et des animaux qui l'ont précédé des milliards d'années. L'autre est le monde des institutions sociales et des objets qu'il construit. Il fait l'expérience du confort, de la sécurité, de la joie, de la pensée, de la découverte intellectuelle, de la poésie et il cherche à les incorporer à son environnement. Mais, il est sans cesse menacé par la peur, la maladie, un travail épuisant; il doit réagir continuellement contre ses agresseurs. Depuis 200 ans, l'envergure et la rapidité des interventions de l'homme se sont accrues. Croissance démographique, consommation d'énergie, d'aliments, de minéraux, l'urbanisation, etc., etc.

Un symposium mondial sur la pollution et la santé a été tenu à Paris en 1974 sous l'égide de l'O.M.S.: il a permis de coordonner les recherches et de fixer des normes sur les principaux polluants: oxydes d'azote, de soufre, ozone et autres oxydants, poussières fibreuses. En quelques années le mot "pollution" est devenu un des plus courants de la langue. Tout en assistant à une explosion scientifique qui améliore de jour en jour la technique, on constate que l'homme consomme, que sa nourriture est un problème crucial, mais qu'il rejette aussi des déchets. A l'heure actuelle, ce taux de déchets augmente à un taux alarmant de 17% chaque année.

La concentration urbaine va croissant et les bidonvilles se multiplient aux alentours de toutes les grandes villes du monde, hébergeant une population défavorisée. Ceux qui ont la chance d'avoir une activité rénumérée connaissent aussi d'autres problèmes posés par l'air et l'eau, l'alimentation, les transports, le bruit, la promiscuité. L'avancement de la science a eu des effets fantastiques sur notre vie quotidienne mais elle entraînera avec elle de nombreux inconvénients qui menacent la santé et parfois la vie même de l'individu. Si nous avions à faire une litanie des temps modernes, ne mettrions-nous pas en première ligne:

— pollution
— nuisances
— psychopathologie de
  l'environnement
— gaz carbonique
— intoxication mercurielle,
  cyanures

— acide sulfurique
— marée noire

— déchets atomiques
— résidus industriels, etc.

Dans tous les pays dont l'industrie est avancée, l'individu est aux prises avec les mêmes difficultés. Les soucis sont les mêmes partout: l'air, l'eau, le sol deviennent inutilisables. Une des grandes tâches de la médecine préventive consiste à tenter d'éliminer les dangers que l'homme invente quotidiennement à son propre détriment. Mais cette lutte ne dérange-t-elle pas bien des intérêts financiers?

Préfère-t-on dans notre société les soins aux malades à la
prévention des maladies?

Les maladies dégénératives tout comme les maladies infectieuses sont toutes des maladies de civilisation: maladies de corpulence (dues à la suralimentation, à la sédentarité), maladies de la vitesse, maladies du confort dues au manque d'exercices et d'aliments naturels, maladies de la pollution. Des études récentes ont établi que les maladies cardio-vasculaires, l'hypertension, l'hypercholestérolimie sont très rares chez les peuples dits primitifs. Les cancers par exemple sont dix fois plus répandus dans les pays industrialisés.

Le Dr Higginson de l'Agence Internationale pour la Recherche sur le Cancer estime que 80% des cancers sont dûs au mode de vie de nos sociétés industrialisées. Le cancer de l'estomac paraît lié à la pollution de l'air. Le cancer des voies respiratoires à l'inhalation de fumée de tabac. La plupart des cancers seraient dûs au milieu de vie et ils pourraient être évités en changeant nos habitudes malsaines pour des habitudes de santé.

Quelle conception avons-nous du malade, de la maladie et de la
fonction médicale?

Le corps n'est-il pas conçu comme une mécanique dont les rouages se dérèglent? Le médecin, comme un ingénieur qui les remet en place par des interventions chirurgicales, chimiques ou électriques? Dans "Némésis Médical", Ivan Illich avance ceci: "Pour diagnostiquer et traiter une maladie, le recours à un professionnel de la médecine est inutile dans au moins neuf cas sur dix: les symptômes ne prêtent pas à confusion, les remèdes sont bien connus et bon marché". Aussi suffit-il de trois semaines en Chine pour former un "médecin aux pieds nus" qui, tout en continuant de travailler comme ouvrier ou comme paysan, saura traiter les affections courantes, doser les remèdes dont il connaît parfaitement les contre-indications et les incompatibilités, *reconnaître les cas qui exigent des soins spécialisés*, avec une sûreté qui a fait l'admiration des médecins occidentaux qui sont allés sur place.

Plusieurs pays dits en voie de développement ont mis l'accent ces dernières années sur la prévention. Ne nous ont-ils pas devancé de plusieurs années en dépassant le curatif pour mettre leurs énergies sur le préventif? Pourquoi sommes-nous si indifférents aux mesures préventives? Cette débauche de médicaments et de soins professionnels n'a aucun effet mesurable d'amélioration de la santé ou de prolongation de la vie. Le taux de mortalité des hommes dans la quarantaine et dans la cinquantaine augmente depuis une dizaine d'années dans tous les pays industrialisés.

La médecine se révèle-t-elle inadaptée aux fins qu'elle prétend poursuivre? Son expansion ne produit plus de gains et finit par causer plus de dégâts qu'elle n'en répare.

Qu'est-ce qui peut nous permettre de vivre à l'aise dans notre famille et dans la société?

C'est l'ensemble des conditions sociales et cette préoccupation du bien commun qui permettent à chacun des membres d'atteindre leur perfection d'une façon plus totale et plus aisée. Il en découle alors un essor des institutions publiques et privées et les conditions de la vie humaine s'en trouvent ainsi améliorées. Il se rencontre heureusement aujourd'hui des présidents de pays et des ministres qui ont pris conscience de la primauté des besoins humains sur les intérêts de parti. Exemple: l'amiantose, cette maladie bien connue qu Québec. Ses fibres très longues et minces de diamètre inférieur à trois microns, en se logeant dans les poumons durcissent les tissus et les asphyxient.

Une autre étude effectuée à l'hôpital Royal Victoria à Montréal parmi des femmes enceintes a démontré que les bébés des femmes qui fumaient plus de 20 cigarettes par jour étaient moins lourds de 5%, des bébés des non-fumeuses. Entre 1971 et 1975, 690 bébés québécois sont morts à la naissance parce que leur mère avait fumé pendant la grossesse. Selon les recherches effectuées par le Dr Jacqueline Fabia, professeur à la faculté de médecine, l'usage du tabac contrecarre les effets d'une alimentation équilibrée chez la femme enceinte. Le tabac produirait des symptômes semblables à ceux de la malnutrition. Il y aurait ralentissement de la croissance foetale et mauvais développement du cerveau. Le Dr Manning avance ceci: "Lorsqu'une femme fume, elle comprime le cordon ombilical qui fournit l'alimentation et l'oxygène nécessaire à son bébé. La nicotine du tabac provoque non seulement une constriction des vaisseaux sanguins périphériques, mais une constriction du cordon ombilical lui-même". La nicotine a aussi pour effet d'annuler les effets de la vitamine C: elle la neutralise. Sa mère peut avoir des grippes répétées. Le goudron, la stagnation du goudron, provoque des lésions au niveau de la vessie, les hydrocarbures s'éliminant par la vessie. C'est une substance cancérigène qui provoque souvent des cancers de vessie. L'ammoniaque est un irritant chronique qui entraîne des phagolaryngites à répétition. Il se produit un mucus bronchique et les cils bronchiques sont paralysés. La femme enceinte transporte donc chez son foetus les éléments de nicotine.

Passer une cigarette à quelqu'un, n'est-ce pas un acte contre la qualité de la vie?

Depuis 1960, le Québec détient la plus forte proportion des bébés trop petits et le plus petit poids moyen des bébés au Canada. Est-ce une coïncidence que ce phénomène soit relié à la plus forte proportion des fumeuses? Les agents de la santé ne sont-ils pas de ceux qui battent le record avec ce polluant moderne qu'on appelle la cigarette?

Si nous analysons les causes du problème écologique d'aujourd'hui, nous constatons qu'il existe un manque de contrôle pour la préservation de l'environnement et une mauvaise interrelation entre l'homme et la nature. Savons-nous respecter:

— l'air qui nous donne le souffle?
— la nourriture qui nous donne la vie?
— la plante qui peut nous guérir?

Depuis des siècles et des siècles, des aborigènes vivent et meurent pour préserver un des plus grands patrimoines de l'humanité: la nature et l'harmonie avec cette nature. Et nous, gens du 20ième siècle, n'avons-nous pas fait fi de cette mère-nature? Ne l'avons-nous pas trop souvent considérée comme matière à transformer ou adversaire à contrôler? Mais cette dame nature refuse de se laisser transformer par l'homme. Elle lui coupe la respiration, l'empoisonne et garde le dernier mot: mort.

L'homme et la nature croissent simultanément, c'est-à-dire en se retrouvant et en se transformant, pour enfin s'harmoniser avec elle. Tagore a une pensée puissante à ce sujet: "L'information et la connaissance peuvent nous rendre puissants, mais c'est dans l'harmonie avec la nature que l'on retrouve sa plénitude".

L'homme se définit par le partage. Partage des services et des talents. Le travail lui permettra de se solidariser en vue d'un objectif précis. Exemple: dans la maison construite de ses mains, dans le vêtement qu'il tisse, le pain qu'il cuit, dans le dépassement de toutes ses possibilités.

Pourquoi la vie est-elle si lourde à porter à certains moments?

N'est-elle pas devenue un problème à analyser, à mesurer, à contrôler et finalement à résoudre...? Serait-ce en raison des limites de la vie ou parce que nous sommes ignorants de notre destin? Il n'y a de problèmes véritables que pour ceux qui ont peur de perdre leurs propriétés, leur richesse, leurs teritoires, leurs suprématies, leur ego. Pour celui qui est libéré de toutes ces peurs, la vie n'est pas un problème mais une plénitude.

"Par accumulation continue de propriétés, la vie fait boule de neige. Elle entasse caractères sur caractères dans son protoplasme. Elle va se compliquant de plus en plus. Mais que représente dans l'ensemble ce mouvement d'expansion? Explosion opérante et définie, comme celle d'un créateur? Ou détente désordonnée, en tous les sens, comme celle d'un éclatement. La science dans ses ascensions, l'humanité dans sa marche piétinent en ce moment sur place parce que les esprits hésitent à reconnaître qu'il y a une orientation précise et un axe privilégié d'évolution. Débilitées par ce doute fondamental, les recherches se dispersent et les volontés ne se décident pas à construire la terre", Pierre Teilhard de Chardin, dans "Le Phénomène Humain".

Il n'en demeure pas moins que nous avons sans cesse à nous protéger contre les éléments eau, air, terre et feu.

Quel serait donc le premier but du développement économique pour améliorer la qualité de la vie?

Le premier but du développement économique serait de répondre aux besoins de l'homme et de la nature en faisant appel à des ressources, à la transformation de ces ressources, à leur circulation dans le milieu et à leur consommation. Il y a des signes économiques (par exemple revenu moyen par rapport à l'indice du coût de la vie), des signes sociaux (par exemple organisation des relations humaines et des relations de travail), des signes politiques (force de la démocratie, pouvoir d'expression individuel et de groupe) etc...

Comment cette économie se présentera-t-elle?

Elle cherchera à être personnelle, originale, naturelle, intériorisée, créatrice spécialement dans l'économie artisanale, à être fonctionnelle, efficace, à sauver du temps ou à ne faire que de l'argent. Elle cherchera à répondre aux besoins primordiaux de l'homme ou à répondre aux désirs d'une minorité. La société des droits de l'homme cherche à établir l'ordre social sur l'idéal de l'égalité afin que chaque homme et chaque groupe social ait des chances égales de façonner sa propre identité.

L'égalité est une relation d'unité basée sur la distinction, la quantité, la qualité particulière du pouvoir et de la décision personnelle. Tous les hommes de toutes races, de toutes civilisations, de toutes cultures, sexes, groupes d'âge jouissent du même pouvoir et de la même chance de décider eux-mêmes de leur destinée.

Que ferons-nous pour améliorer la qualité de la vie?

Opter pour la santé, c'est s'imposer des choix, c'est prendre un engagement par rapport à la reconnaissance de valeurs humaines qui donnent un sens à la vie et qui font naître un *désir de vivre*. Nous avons à redécouvrir de nouveaux rapports avec la nature qui ne soient pas des rapports de conquérants mais d'amoureux, des rapports avec les autres qui ne soient ni l'individualisme de jungle, ni le carcan totalitaire, mais des rapports de fraternité et d'amour. Tant que nos mentalités individualistes engagées dans la poursuite de projets égoïstes n'auront pas changées, la qualité de la vie sera un mythe. Les sages de l'Orient nous ont appris que le bonheur commence avec la dépossession de soi.

Une question cruciale se pose à nous: Voulons-nous *changer ou disparaître?* Voilà le choix auquel l'homme d'aujourd'hui est confronté. Plusieurs écologistes sont très actifs actuellement à sensibiliser les corporations, les commissions parlementaires, les syndicats pour essayer de rendre possible ce que commande la nature et le bien commun.

Les positions fondamentales des écologistes québécois sont défendues par les neuf énoncés de principes suivants:

1. Une révolution culturelle par laquelle les valeurs sociales actuelles (consommation, croissance, richesse matérielle, pouvoir,

ordre, profit, individualisme seront remplacées par de nouvelles valeurs: qualité de vie, justice, paix, harmonie, tendresse, convivialite, interdépendance, etc...

2. L'instauration d'une structure socio-économique favorisant une meilleure distribution des ressources entre les individus et les pays. Ceci implique la critique de la société productiviste monopolistique et une remise en cause des modes actuels de production, de travail, de consommation et de croissance.

3. Une remise en cause de la centralisation étatique bureaucratique, financière et industrielle.

4. L'autogestion communautaire, c'est-à-dire la restitution au profit des communautés régionales et locales, des pouvoirs accaparés par l'état-nation.

5. Une justice sociale plus grande par la remise entre les nantis et les déshérités aussi bien à l'échelle du pays qu'à celle de la planète.

6. Une lutte contre la destruction des équilibres naturels et humains à l'aide d'une gestion écologique du milieu de vie: espace, flore, faune, paysages, habitat.

7. Une priorité accordée aux biens et services essentiels et collectifs: transport en commun, nourriture saine, accessibilité à la nature, etc...

8. Une lutte contre le gaspillage sous toutes ses formes.

9. Une alimentation saine et équilibrée.

L'homme fait partie de la nature et toutes ses activités doivent éviter de rompre les équilibres délicats qui sont à la base de la vie sur la terre.

POPULATION MONDIALE URBAINE ET RURALE

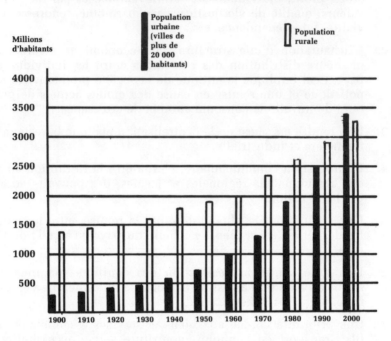

Figure 7.2

CONSOMMATION D'ÉNERGIE PAR HABITANT
DANS LES PAYS DÉVELOPPÉS
ET EN VOIE DE DÉVELOPPEMENT
en tonnes métriques d'équivalent-charbon

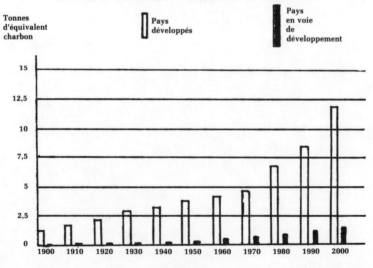

Figure 7.3

POPULATION DU MONDE
du début de l'ère chrétienne à l'an 2000

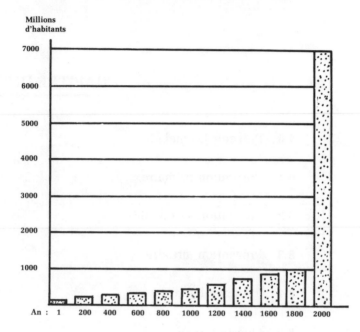

Figure 7.4

7.5   QUESTIONNAIRE

1.   Qu'entendez-vous par cette expression suivante: *"La qualité de la vie"*?

2.   En quoi le modernisme a-t-il amélioré la qualité de la vie?

3.   Quelles sont les causes du déséquilibre écologique actuel?

4.   Pourquoi en sommes-nous arrivés à une situation aussi critique?

5.   Sur quels principes reposent la conception globale de la santé?

6.   Quels sont les effets de la nicotine sur la santé de l'individu?

7.   Que pouvons-nous faire pour améliorer la qualité de vie?

8.   Quel serait le premier but d'un développement économique dans le cadre d'une vie améliorée?

9.   Quel apport l'Orient nous apporte-t-il sur le plan de la vie?

CHAPITRE HUITIÈME

Quelle est belle la vie en santé!

8.0   PRÉVENIR LES MALADIES

La *prévention* ne consiste pas seulement dans l'ensemble des mesures prises afin d'éviter les épidémies ou l'aggravation des états sanitaires individuels, elle s'intéresse à promouvoir la santé, à favoriser un "mieux-être" de l'individu au point de vue physique, psychologique, mental et spirituel chez l'enfant, l'adulte, le vieillard. Tous les agents dits "de la santé" sont-ils sensibilisés à l'importance d'évoluer vers une médecine sociale et préventive? Ne sommes-nous pas hélas trop souvent agent: "de la maladie" qui ne considère que les symptômes sans remonter aux causes. Pour réaliser une éducation sanitaire positive, il faut être capable:

a)   d'aider les gens à reconnaître leurs vrais problèmes de santé, à en rechercher les causes individuelles et sociales et à prendre en main leur propre guérison

b)   améliorer leurs méthodes de travail qui souvent est une cause de stress qui conduit à une angoisse de vivre. On brûle des énergies inutilement, on est mal dans sa peau et tout le système se déséquilibre.

c)   augmenter leurs connaissances sur le plan de l'hygiène alimentaire. Combien de maladies sont dues à un manque de savoir manger et de savoir vivre en général. On se crée des habitudes qui loin de favoriser un bien-être à long terme nous détruit à petit feu.

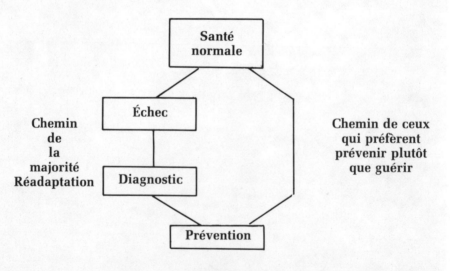

Figure 8.0

Prévenir les maladies c'est être capable d'être vrai avec soi-même et de ne pas toujours essayer de fuir la réalité et ses responsabilités en mettant sur le dos de la maladie son incapacité à affronter la vie. Quand l'individu est réconcilié avec lui-même, avec son travail, son environnement, n'a-t-il pas toutes les chances de vivre en santé?

La créativité qui ajoute de la vie aux années

Nous avons peut-être cru que dans la consommation de soins, de médicaments de toutes sortes, était le secret de notre santé, mais si nous nous arrêtons à réfléchir sur notre mode de vie et nos conditions de travail, de loisirs, qu'est-ce que nous découvrons? Si nous avons le courage de nous attaquer aux vraies causes et à faire les changements nécessaires, adieu tous les troubles et bienvenue "santé". Notre système médical centré sur l'hôpital n'a-t-il pas favorisé cette dépendance de l'individu vis-à-vis les soins professionnels? L'assurance-santé n'a-t-elle pas développé chez nous le besoin d'être hospitalisé? Mais il se produit aujourd'hui un changement au niveau des mentalités et demain c'est le milieu naturel du client que l'on privilégera. Elle est à notre porte cette médecine préventive et plusieurs agents de la santé vont à sa rencontre.

Plusieurs programmes de préventions dans différents secteurs du Ministère des affaires sociales sont déjà élaborés où l'on tient compte:

a)   de la nature et de l'étendue des problèmes

b)   de l'établissement des priorités

c)   du choix des objectifs à court terme et à long terme

d)   des ressources disponibles et d'un personnel qualifié

Mais n'avons-nous pas l'impression de débuter dans ce vaste secteur? Ne sommes-nous pas à l'étape de changement des mentalités pour donner au préventif la place qui lui revient?

8.1 PRÉVENTION PRIMAIRE

La prévention étant l'ensemble des mesures à suivre pour conserver la santé tant au point de vue individuel que publique et industriel, l'agent de santé fera un effort de recherche pour découvrir les façons les plus efficaces de toucher la population. La prévention primaire consiste donc dans ses mesures à suivre pour éviter les maladies. L'individu doit être sensibilisé à adopter un mode de vie en accord avec les objectifs d'une bonne santé. Cette prévention s'appliquera donc d'une façon *individuelle et collective.*

8.1.1 Prévention individuelle

L'agent de santé a un rôle important à jouer dans son approche du client; il est en mesure de l'aider et de le guider dans sa recherche de solutions pour protéger et conserver sa santé.

8.1.2 Prévention collective

L'Ordre des Infirmiers et Infirmières de la Province de Québec définit clairement l'action de l'infirmier et de l'infirmière dans ce domaine:

"L'action de l'infirmier(ère) est centrée sur la population en général; afin d'atteindre les objectifs généraux et particuliers, l'infirmier(ère) organise des *séances d'information* pour contribuer à la *préservation de l'écologie* et pour permettre le *dépistage des maladies, faciliter la participation* à des cours de conditionnement physique et aux loisirs dans la communauté; *aide l'individu* et la famille à *s'adapter à la vie* quotidienne en tenant compte des contraintes physiques, psychiques, mentales et socio-économiques; *contribue à préparer* à la retraite; *suscite de nouveaux intérêts* et de nouvelles habitudes chez les handicapés et les chroniques; *éduque* en matière d'hygiène personnelle, de nutrition, de mesures sécuritaires, de toxicomanie, de sexologie et de maladies vénériennes; incite aux mesures de dépistage et à l'avaluation périodique de l'état de santé; évalue les besoins d'information pour que la clientèle s'adapte à l'évolution constante de la société''.

La prévention rejoint tous les individus: santé maternelle, infantile, préscolaire, scolaire, adulte, personne âgée.

SANTÉ COMMUNAUTAIRE

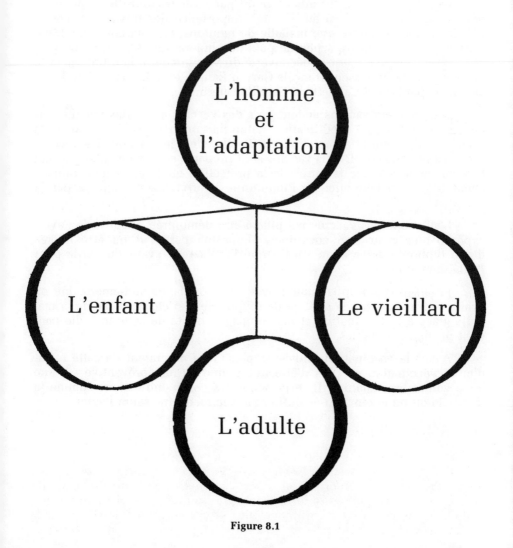

Figure 8.1

Les dispositions gouvernementales d'aujourd'hui ont donc pour but de passer d'une optique axée sur le traitement à celle de promouvoir le "mieux-être" de la population en prévenant les maladies et en la maintenant en bonne santé: par la prévention primaire et secondaire.

La prévention primaire consiste à éviter à l'individu le contact dangereux de facteurs qui pourraient lui être nocifs: maladies, accidents, pollutions de toutes sortes, environnement social, intoxication. La découverte de vaccins contre la variole, la diphtérie, le tétanos, la coqueluche, la tuberculose, le poliomyelite, la rougeole, la rubéole, la grippe, le typhus, la rage, etc... a diminué de beaucoup le risque de maladie dans les populations. Le vaccin déclenche des réactions qui immunisent l'organisme et éloigne la maladie infectieuse.

Le premier vaccin fut mis au point par Pasteur contre le choléra des poules. Le second prouva au monde l'importance des travaux en cours. C'était un vaccin contre une maladie de moutons, le "charbon". En 1896, c'est le tour de la fièvre typhoïde puis du choléra. En 1924, trois progrès d'un coup s'opèrent: c'est la découverte du vaccin contre la diphtérie et le tétanos pour le professeur français Gaston Ramon et le B.C.G. contre la tuberculose par Albert Calmette et Camille Guérin.

Les premiers vaccins étaient tous des vaccins à bacilles vivants "atténués" soit par une modification naturelle comme c'est le cas pour la vaccine, soit par une atténuation artificielle, c'est le cas pour les vaccins préparés par Pasteur. Divers vaccins sont préparés encore de cette façon et leur efficacité, comme la durée de la protection qu'ils apportent, rapprochent beaucoup leur effet de l'ummunité naturellement conférée par la maladie.

L'efficacité des vaccins n'a plus à être démontrée. Il suffit de l'avoir expérimentée pour s'en convaincre. Pour ma part, j'ai pu être libérée d'une typhoïde grâce à un vaccin que j'avais reçu avant de partir pour l'Amérique du Sud.

J'avais pris un appartement avec une compagne sud-américaine où avait vécu une personne atteinte de thyphoïde. J'ai été protégée de la maladie grâce à la vaccination et ma compagne hérita de cette maladie pendant plusieurs semaines.

Avant la vaccination, plusieurs personnes mouraient de cette maladie. La vaccination en plus d'être une bonne mesure préventive est une arme contre les maladies. Il se présente des contre-indications comme la leucémie ou un eczéma en évolution mais la médecine saura l'éviter.

Notes

1   Le vaccin antirubéoleux est recommandé: *soit* a) pour tous les nourrissons âgés de 1 an ou plus, *soit* b) pour les jeunes filles d'âge prépubertaire, c'est-à-dire à l'âge d'environ 12 ans.

À l'heure actuelle, les données disponibles sont insuffisantes pour permettre de distinguer lequel de ces programmes est le plus efficace pour la prévention du syndrome de la rubéole congénitale.

2   L'anatoxine tétanique et diphtérique, sous forme de préparation associée destinée aux personnes âgées de plus de 6 ans, contient moins d'anatoxine diphtérique que les préparations conçues pour les enfants plus jeunes et risque moins de provoquer des réactions chez les personnes plus âgées. Si cette préparation n'est pas disponible, on peut utiliser d'autres préparations associées d'anatoxine tétanique et diphtérique (sans fraction anticoquelucheuse) en respectant la dose recommandée par le fabricant pour le groupe d'âge intéressé.

3   Bien que la chose ne soit pas souhaitable, on peut aussi administrer les vaccins antirougeoleux, antivariolien et antirubéoleux au cours de la première consultation si l'on a de bonnes raisons de croire que l'enfant ne poursuivra pas son immunisation.

4   Le vaccin antirougeoleux (vivant, atténué) peut être administré seul ou en association avec le vaccin antirubéoleux, le vaccin antivariolien ou les deux. Dans les régions où règnent des conditions épidémiologiques particulières, et surtout dans les régions où la rougeole survient fréquemment au cours de la première année de vie, le vaccin antirougeoleux peut être administré dès l'âge de 5 ou 6 mois; si le vaccin antirougeoleux est administré avant l'âge de 12 mois, il importe alors d'administrer une nouvelle dose de vaccin vers l'âge de 15 mois étant donné que les anticorps maternels peuvent empêcher la première dose de provoquer une réponse immunitaire suffisante.

5   Lorsqu'on administre plus d'une préparation, qu'il s'agisse de vaccins seuls ou d'associations commerciales de plusieurs vaccins, il faut choisir un point d'injection différent pour chaque produit.

6   La vaccination antivariolique n'est pas recommandée.

Ces recommandations ont été présentées par le Comité consultatif national de l'immunisation le 27 octobre 1978 et ont reçu l'approbation de la Société canadienne de pédiatrie.

TABLEAU 1

Calendrier de vaccination systématique pour les nourrissons et les enfants

Âge	Maladies			
2 mois	Diphtérie	Coqueluche	Tétanos	Poliomyélite
4 mois	Diphtérie	Coqueluche	Tétanos	Poliomyélite
6 mois	Diphtérie	Coqueluche	Tétanos	Poliomyélite
12 mois	Rougeole	Oreillons	Rubéole[1]	
18 mois	Diphtérie	Coqueluche	Tétanos	Poliomyélite
4-6 ans	Diphtérie	Coqueluche	Tétanos	Poliomyélite
11-12 ans	Rubéole (chez les jeunes filles[1])			
14-16 ans	Tétanos et diphtérie[2]			Poliomyélite

TABLEAU 2

Calendrier de vaccination pour les enfants non immunisés au cours de la première année

Pour les enfants âgés de 1 à 6 ans.

Moment propice à l'administration du vaccin	Maladies			
Première consultation[3]	Diphtérie	Coqueluche	Tétanos	Poliomiélite
Intervalle après la première consultation				
1 mois	Rougeole	Oreillons	Rubéole[1]	
2 mois	Diphtérie	Coqueluche	Tétanos	Poliomyélite
4 mois	Diphtérie	Coqueluche	Tétanos	Poliomyélite
16 mois	Diphtérie	Coqueluche	Tétanos	Poliomyélite
À l'âge de 11-12 ans	Rubéole (chez les jeunes filles[1])			
À l'âge de 14-16 ans	Tétanos et diphtérie[2]			Poliomyélite

Pour les enfants âgés de 7 ans et plus

Moment propice à l'administration du vaccin	Maladies		
Première consultation[3]	Tétanos et diphtérie[2]		Poliomyélite
Intervalle après la première consultation			
1 mois	Rougeole	Oreillons	Rubéole[1]
2 mois	Tétanos et diphtérie[2]		Poliomyélite
14 à 16 mois	Tétanos et diphtérie[2]		Poliomyélite
À l'âge de 11-12 ans	Rubéole (chez les jeunes filles[1])		
À l'âge de 14-16 ans	Tétanos et diphtérie[2]		Poliomyélite

Repris de *L'infirmière canadienne*, fév. 1979

Tout être vivant est dans un continuel processus de changements. Son système a à réagir continuellement contre:

1.   L'infection

2.   L'intoxication

3.   L'allergie

4.   L'hypervitaminose ou l'avitaminose

5.   Le stress

6.   L'anémie, etc...

Certains pays plus que d'autres ont réussi à vaincre certaines maladies. Exemple: la tuberculose au Canada est à peu près vaincue, tandis qu'en France la situation de cette maladie n'est pas encore satisfaisante et il y a un effort de prévention qui s'opère: dépistage par radiographie, vaccination par le B.C.G., traitement systématique de toutes les prémo-infections, et finalement l'isolement de tous les sujets contagieux.

Mais en ce qui regarde la *toxicomanie* leurs services ne sont-ils pas plus à point que les nôtres?

La prévention est assurée par les dispensaires d'hygiène mentale, les hôpitaux psychiatriques, les bureaux d'aide psychologique et universitaires et les centres médico-psycho-pédagogiques. Il y a aussi les colloques, les émissions télévisées, la presse médicale, une information qui touche les enseignants, le personnel qui travaille auprès des jeunes, les travailleurs sociaux, les infirmiers et infirmières.

En ce qui a trait au *cancer*, il existe à travers le monde plusieurs centres de recherches et de dépistage. Les populations sont informées des résultats de ces recherches et peuvent ainsi prévenir cette maladie du XXe siècle. Il en est de même au sujet des *maladies vénériennes* qui ont pris une recrudescence, particulièrement en Amérique du Nord. L'information sur les causes et les symptômes de ces maladies peut empêcher un retard dans le traitement et faciliter la consultation auprès des agents de la santé.

Si nous faisions une enquête dans différents pays, nous pourrions constater qu'une action préventive et une éducation de la population est en cours. Les pays prennent de plus en plus conscience de l'importance de la santé. Ils tentent à l'aide de statistiques et d'enquêtes d'améliorer la condition humaine. Au Québec, une enquête fut amorcée à l'été 77 en vue de connaître l'état de santé des Québécois. Les résidents de treize localités de la province ont été choisis pour participer à une expérience-pilote en prévision de l'enquête "Santé Canada" d'envergure nationale qui a commencé en 1978.

La santé est liée au sens que chacun peut trouver dans l'existence, aux valeurs et aux coyances auxquelles on s'attache et qui remettent elles-mêmes en question le choix entre la vie et la mort.

"En Russie, le genre de santé que les hommes désirent le plus n'est pas nécessairement un état dans lequel ils jouissent de la vigueur physique et d'un sentiment de bien-être, même pas celui qui leur assure une longue existence. C'est plutôt la condition la plus favorable pour atteindre les buts que se propose chaque individu. Ces buts n'ont généralement aucun rapport avec la nécessité biologique, parfois même ils sont en opposition avec l'utilité biologique.

Le plus souvent, la recherche de la santé et du bonheur est guidée par des besoins qui sont sociaux plutôt que biologiques".

Dubos

Avec l'évolution accélérée du monde moderne, le concept santé prend de plus en plus de résonnances sociales et communautaires qui se traduisent par la création de moyens de santé communautaire préventifs, d'où l'élaboration d'une médecine sociale qui exige une participation de plus en plus importante et réelle des individus.

Plusieurs pays sont particulièrement avancés sur le plan prévention. Je signalerai spécialement le Chili que je connais davantage pour y avoir travaillé pendant neuf ans; le Service National de Santé a institué des conseils locaux de santé. Grâce à la participation directe des travailleurs, des équipes se sont organisées: elles comprennent médecins, infirmières, dentistes, diététistes, éducateurs, inspecteurs d'assainissement de l'air et des eaux, inspecteurs de sécurité industrielle. Des équipes de volontaires s'occupent de l'hygiène publique:

— nettoyage des rues non pavées
— élimination des déchets pour empêcher la prolifération des mouches, etc.

Ces travaux s'effectuent les fins de semaines, sans frais pour l'état. Le S.N.S. (Service National de Santé) a mis sur pied tout un programme à l'échelle nationale:

1. Distribution de lait quotidiennement à chaque enfant
2. Campagnes de vaccinations massives chez les enfants pour prévenir la poliomyélite
3. Des émissions de télévision sur la santé et l'alimentation

En raison de l'intérêt de plus en plus grand que suscite la santé positive, les gouvernements se voient dans l'obligation d'assurer des services médicaux plus nombreux, au détriment parfois de la qualité. Il y a aussi l'inertie et l'indifférence des individus qui apportent des modifications dans les résultats souhaités et obtenus.

INFIRMIÈRE EN HYGIÈNE PUBLIQUE
Objectif: Santé optimale de la population
Intérêt particulier envers LA FAMILLE
Tous et chacun des membres de la famille
de la naissance à la vieillesse

1. Conserver la santé
2. Tendre vers un niveau de santé plus élevé
3. Prévenir la maladie
4. Dépister les déviations
   les écarts de la norme
5. Encourager le traitement précoce
6. Participer à la réadaptation

ENSEIGNEMENT DE LA SANTÉ
PHYSIQUE   PSYCHIQUE   AFFECTIF   SOCIAL

L'enseignement comprend: la planification

familiale, le nursing prénatal et post-natal, la croissance et le développement de l'enfant, l'éducation
sexuelle, la lutte contre l'empoisonnement, la prévention des accidents, les soins aux malades et aux
personnes âgées.

Figure 8.2

La civilisation industrielle tant souhaitée, comme unique remède
aux problèmes que subissent les pays en voie de développement, entraîne
les mêmes maux dont souffrent actuellement les pays plus développés
matériellement. On peut fort bien vouloir relever le niveau de vie, mais il
sera inutile de le faire si on remplace certaines maladies par d'autres!

Dans le cadre de certaines cultures la production de moyens d'existence paraît moins importante que la reproduction humaine. Exemple:
l'Afrique.

Nous comptons aujourd'hui:

1.   Une réduction de la mortalité infantile

2.   Le contrôle des maladies épidémiques

3.   La prolongation de la vie

Le chemin à parcourir est encore long. Si la prévention n'a pas encore réussi à vaincre toutes les limites, elle aide tout de même à traverser
les années en s'adaptant à ses possibilités physiques et mentales.

Quant à la mortalité infantile, elle a diminué de beaucoup, car les
futures mères comprennent la nécessité des visites médicales pendant leur
grossesse. Elles surveillent mieux leur santé et celle de leur bébé. Au Canada, il n'y a pratiquement plus d'épidémies en raison de nombreux vaccins et précautions sanitaires. Cette prévention est assumée en grande
partie par les infirmières hygiénistes et les organismes de santé en place.
Mais, la consommation de médicaments suscite une inquiétude grandissante tant sur le plan national qu'international. L'usage abusif de certains
médicaments constitue des dépenses très coûteuses.

*"L'empoisonnement de la nature par l'industrie chimique est allé de
pair avec la prétendue efficacité croissante des médicaments", Ivan Illich.*

L'O.M.S. (L'Organisme Mondial de la Santé) recommande que des
données sur la consommation de médicaments soient incluses dans les
statistiques sanitaires nationales spécialement en France et conseille
qu'une présentation permettant des comparaisons internationales soit
adoptée. Le meilleur moyen de tirer partie des ressources sanitaires ne
serait-il pas d'aider les gouvernements à se doter d'effectifs sanitaires qui
conviennent le mieux aux besoins de la population?

TRAVAIL D'ÉQUIPE

LA CONTINUITÉ DES SOINS COMPREND:

1. Structures de travail bien définies
2. Étroite coopération
3. Compréhension et appréciation de l'apport de chacun

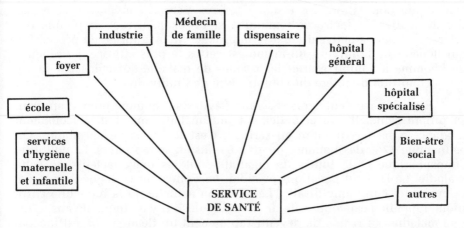

Les références prennent la forme d'un éventail ou de rayons de soleil. Il faut des connaissances suffisantes pour apprécier les besoins et savoir où, quand et comment référer les personnes selon les circonstances et les problèmes à résoudre.

Figure 8.3

8.2 PRÉVENTION SECONDAIRE

La prévention secondaire consiste à éviter par quelque moyen que ce soit, l'apparition d'une maladie. Pré-venir, venir "avant" elle se situe au niveau du dépistage ou diagnostic précoce. À titre d'exemple, un ministère de la santé instaure un plan de plusieurs années de dépistage de l'amiantose chez les mineurs, il s'agit d'une action de médecine préventive.

La prévention secondaire consiste à saisir les premiers signes d'une maladie afin de la combattre à un stade ou les dégâts sont encore très limités ou même inexistants. Il peut arriver que l'évolution de certaines maladies soit trop rapide pour pouvoir être facilement détectées, mais par contre dans bien des cas une détection précoce est possible et une chance de santé est latente. Combien de diabétiques à l'heure actuelle ne sont pas conscients de leur maladie? Comment détecter ces futurs diabétiques? *Les réponses génétiques* peuvent être éclairantes: 35% des diabétiques ont au moins un parent diabétique.

L'obésité consiste le risque le plus lourd et le plus fréquent d'un sujet génétiquement prédisposé. Le contexte social d'aujourd'hui, *toutes les forces* de l'environnement influencent l'homme dans son état de santé. Les maladies du coeur et des vaisseaux constituent le problème de santé numéro un dans la plupart des pays du monde. On sait que l'infractus du myocarde est monnaie courante. Les artères chargées de nourrir le muscle cardiaque s'obstrue progressivement. À un moment donné une zone du coeur cesse d'être irriguée et meurt.

Les victimes de ces maladies font partie d'un groupe définissable au sein d'une population. Un examen sérieux permet souvent de constater des anomalies. L'électrocardiogramme et un examen radiographique des artères coronaires peuvent aider le dépistage. Mais la forme de prévention qui dépend de l'individu lui-même est certes la plus efficace. *La réponse de l'homme* à vouloir écarter les risques de maladie qui menacent sa vie est la condition première du vouloir vivre de l'individu.

Bien des accidents graves seraient évités si l'homme prenait en main sa propre santé. Il y a actuellement une maladie que l'on a facilement tendance à ne pas prendre au sérieux, c'est la *bronchite chronique*. On estime que 17% des hommes de 40 à 64 ans en sont atteints. La pollution atmosphérique et la fumée de cigarette sont les deux facteurs de cette maladie. Le Dr Paul Laval qui présidait en France un colloque consacré à la bronchite chronique disait: "La situation actuelle de la bronchite chronique rappelle beaucoup celle de la tuberculose il y a cinquante ans. C'est une maladie qui risque de devenir rapidement un fléau si l'on est incapable de coordonner les efforts de lutte".

Le dépistage automatique est la solution mais il faut que les individus menacés prennent eux-mêmes l'initiative.

Les maladies urinaires. Fréquentes chez les enfants, elle peut débuter à n'importe quel âge et se traduit par une présence de pus dans les urines. La détection est possible et permet par un traitement efficace, le retour à la vie normale.

Les maladies rhumatismales. Il en existe environ 120 variétés. Les causes sont très variables allant du "défaut de structure" aux infections par des microbes ou des virus. Dans divers pays il y a de 10 à 20% des gens qui en sont atteints. S'il est possible de reconnaître la nature du mal lorsqu'il apparaît, une réelle prévention ou détection précoce sont encore exclues aujourd'hui.

Les maladies oculaires. Plusieurs enfants présentent dès la naissance un affaiblissement de la vue. Lorsque ce phénomène est constaté rapidement, on peut y remédier avant que l'enfant apprenne à lire. Il est nécessaire aujourd'hui de se soucier du *glaucome* qui se produit à la suite d'une augmentation de la tension à l'intérieur de l'oeil, il contuit à la cécité. Son évolution commence vers l'âge de 40 ans, il se manifeste fréquemment entre 60 et 80 ans.

Les maladies nutritionnelles. L'homme moderne mange trop de graisses, trop de sucres, l'obésité le guette avec son cortège de troubles: cardiaques, respiratoires, diabète et arthroses. Malgré l'abondance du choix alimentaire, il manque souvent de protéines, de vitamines, de fer, d'iode. À côté de lui, 50% de l'humanité a faim, près d'un milliard de jeunes; il s'ensuit une sous-alimentation et des carences qui apportent différents problèmes.

Les cancers. Nous sommes tous persuadés de la nécessité du diagnostic précoce du cancer. Nous n'accepterions pas de laisser évoluer tranquillement une tumeur jusqu'à son issue normale. Plusieurs spécialistes affirment être en mesure, quand les tumeurs sont découvertes suffisamment tôt, en guérir 1 sur 2.

Le dépistage précoce est donc la solution à ce problème.

Prévention du suicide

En 1969, l'O.M.S. publiait un "Cahier de Santé Publique" dans lequel elle donnait les statistiques suivantes: "On peut estimer à un millier, au moins, le nombre quotidien de suicides dans le monde, environ 500,000 par an". Le suicide vient entre le 5ième et 10ième rang des causes de décès des pays d'Europe et d'Amérique du Nord.

Comment peut-on envisager une prévention du suicide? La possibilité d'un recours accessible, d'un accueil compréhensif et d'une aide efficace pourraient contribuer à éviter certains gestes irrémédiables. Cette aide est peut-être valable pour une partie des cas mais le problème est bien complexe. Il s'impose de rechercher une approche quant aux possibilités de prévention.

L'épidémiologie peut sans doute donner de bonnes indications et montrer les groupes les plus vulnérables. D'après les statistiques, le groupe le plus menacé est celui des jeunes. L'alcoolisme et la toxicomanie augmentent les risques en ce domaine.

Ce même type d'études a permis de constater que la profession semblait jouer un rôle. Dans divers pays, il apparaît que les médecins, les dentistes et les avocats présentent un taux de suicide particulièrement élevé. En Angleterre, un médecin sur 50 met fin à ses jours. Il y a aussi les personnes isolées, séparées, divorcées, personnes seules, des travailleurs qui changent souvent d'emploi. Certains médicaments n'ayant aucun rapport avec le psychisme (comme des substances employées contre l'hypertension) ont parfois entraîné des états dépressifs allant éventuellement jusqu'au suicide. On croit souvent que les personnes qui annoncent leur suicide ne passeront jamais à l'acte, mais selon des enquêtes, on retrouve dans la moitié des cas un avertissement préalable au suicide. Il faut donc les prendre au sérieux et savoir entendre l'appel à l'aide lancé souvent sous une forme indirecte.

Les forces historiques qui ont forgé l'homme tout au long de son histoire interviennent pour le meilleur ou pour le pire. Il est ce que ses expériences l'ont fait.

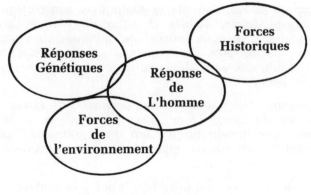

Figure 8.4

La communauté renferme trois forces et l'interaction de l'homme avec ces trois forces est constante.

8.3   PRÉVENTION TERTIAIRE

La prévention tertiaire consiste à traiter une maladie de telle sorte qu'elle ne s'aggrave pas au point de laisser des troubles irréversibles. On inclut dans cette notion la réadaptation, la réhabilitation des handicapés, leur permettant de se réinsérer dans une vie aussi normale que possible.

Dans cette prévention tertiaire, prenons par exemple le *rhumatisme articulaire aigu*. Il sera important dans ce cas d'empêcher la détérioration de valvules cardiaques ou du muscle cardiaque. C'est ici que l'organisation de réadaptation pour ces malades entre en jeu. De même pour le diabétique, la prévention des complications a une importance considérable. Qu'il s'agisse de troubles de la circulation ou dangers pour le rein ou l'oeil, une attention soutenue est indispensable.

Quand il s'agit de la réadaptation de personnes ayant souffert de maladies mentales, les modalités de réadaptation diffèrent selon les milieux culturels; elles dépendent aussi des possibilités qui existent de poursuivre la réadaptation après que le client a quitté l'hôpital.

Un comité d'Experts de l'O.M.S. spécialistes de la réadaptation médicale, a publié en 1969 son deuxième rapport et on peut y lire ce qui suit: "On s'accorde aujourd'hui à estimer que la réadaptation médicale doit intervenir dès que l'état général du patient le permet. Elle met en oeuvre des techniques telles que la physiothérapie, l'ergothérapie et l'orthophonie pour accélérer les processus naturels de regénération et pour prévenir ou réduire les séquelles".

De très nombreux accidentés ou malades souffrent d'affections diverses qui, sans recevoir une réponse adéquate à leurs besoins, peuvent demeurer invalides.

Il y a aussi le cas des handicapés qui requièrent notre attention afin d'éviter une détérioration plus grande. Aux inadaptés mentaux, il sera important de fournir une satisfaction dans une activité adaptée à leurs capacités, et leur fournir les services nécessaires pour leur permettre de parvenir au niveau le plus élevé d'indépendance sociale qu'ils sont capables d'atteindre.

On a de plus en plus conscience aujourd'hui de la nécessité de dépister au plus tôt dans la vie de l'enfant les troubles de quelque nature qu'ils soient susceptibles d'entraver son développement physique ou intellectuel.

8.4 ÉPIDÉMIOLOGIE

Qu'est-ce que l'épidémiologie?

L'épidémiologie est un service de santé qui a son importance dans un pays qui s'intéresse à la prévention. Cette branche de la médecine étudie les différents facteurs intervenant dans l'apparition et l'évolution des maladies, soit que ces facteurs dépendent de l'individu ou du milieu qui l'entoure. Ex.: athérosclérose, cancer, etc.

Quels sont ses buts?

1) Elle peut décrire la distribution et l'ampleur des maladies
2) Elle permet d'identifier les facteurs causaux des maladies
3) Elle permet de développer, *établir et mesurer l'efficacité des mesures de prévention*
4) Elle est susceptible de fournir des données de base dans la planification des services de santé

Quelle différence existe-t-il entre Médecine clinique et Médecine épidémiologique?

Médecine clinique	**Médecine épidémiologique**
↓	↓
Objectif individu	Groupe d'individus ou population
↓	↓
Diagnostic	Diagnostic
↓	↓
Traitement	Recherche des moyens de prévention

Les trois indicateurs principaux de l'état de santé de la population sont les suivants:

a) l'espérance de vie et le taux de mortalité
b) les causes de décès
c) la morbidité

a) L'espérance de vie ne s'est améliorée que très légèrement de 1940 jusqu'à aujourd'hui.

Si nous observons le nombre effectif de décès, cause et sexe, nous constatons qu'entre 35 à 70 ans, 18 400 hommes ont succombé à des affections du système cardio-vasculaire comparativement à 7300 femmes seulement. En 1971, deux fois plus d'hommes que de femmes sont décédés entre l'âge de 15 à 70 ans.

b) Les causes de décès

	Homme	Femme
Accidents de la route	154 000	59 000
Cardiopathies	157 000	36 000
Maladies respiratoires, cancer du poumon	90 000	50 000
Suicide	51 000	18 000
Tous les autres accidents	136 000	43 000
	588 000	206 000

c) La morbidité

En ce qui concerne la fréquence et les causes des maladies, les renseignements disponibles sont plus restreints mais d'après les statistiques, en ce qui a trait au nombre d'admissions dans les hôpitaux, on constate que les maladies du système cardio-vasculaire, les blessures dues aux accidents, les maladies respiratoires et les maladies mentales représentent les quatre principales causes d'hospitalisation. Elles représentent 45 % du total des journées d'hospitalisation.

8.4.1 Table des mesures de prévention

Morbidité:	Taux de maladies par 100 000 habitants.
Incidence:	Fréquence des cas nouveaux par rapport à une population donnée. Généralement c'est exprimé par 100 000 habitants avec limite de temps.
Prévalence:	Fréquence globale de la maladie (Le temps est habituellement plus long).
Mortalité brute:	Nombre de décès par 1 000 habitants.
Mortalité spécifique:	Nombre de décès dus à une maladie donnée par 100 000 habitants.
N.B.	Si le taux est exprimé par rapport au diagnostic, âge ou sexe, c'est exprimé par 100 000 habitants.
Léthalité ou Fatalité:	Gravité d'une maladie. Nombre de décès parmi les malades souffrant d'une maladie donnée.

Mortalité infantile:	Nombre de décès en bas d'un an par 1000 naissances vivantes.
Mortalité néo-natale:	Nombre de décès en bas de 28 jours par 1000 naissances vivantes.
Mortalité périnatale:	Nombre de décès foetaux en bas de 7 jours par 1000 naissances vivantes.

8.4.2 Sources des données en épidémiologie

Législations: Déclaration obligatoire pour certaines maladies infectueuses.

Certificats de décès.
Statistiques hospitalières.
Statistiques de l'Assurance-maladie.
N.B.   Les statistiques des maladies mortelles sont plus précises que celles des maladies moins graves.

8.5   QUESTIONNAIRE

1. Qu'est-ce que la prévention?

2. Quels sont les moyens mis à notre disposition pour prévenir les maladies?

3. Comment peut-on éduquer sanitairement?

4. Quel serait les principaux points à développer dans un programme de prévention?

5. Comment peut s'appliquer cette prévention au point de vue individuel et collectif?

6. Quels sont les progrès de la médecine préventive au Québec?

7. Que pensez-vous du point de vue de René Dubos sur la santé?

8. Qu'entend-on par la prévention primaire, secondaire et tertiaire?

9. En quoi consiste le concept de l'approche sanitaire?
    a)   Qu'est-ce que l'épidémiologie?
    b)   Quels sont ces buts?
    c)   Quelle est la différence entre la médecine clinique et la médecine épidémiologique?

8.6   VISITES

Objectifs général:

Vérifier sur place les applications sanitaires relatives à la prévention, au maintien et recouvrement de la santé individuelle et collective. À titre d'exemple, voici:

a. *Service de l'Assainissement de l'air et de l'inspection des aliments dans une communauté urbaine.*

    1. Apprécier l'importance d'un tel service pour la population de ce milieu et les implications sur les plans préventifs, économiques et sociaux.

    2. Connaître les principes et les méthodes utilisés pour la qualité de l'air et des aliments.

b. *Service de Santé dans une compagnie.*

    1. Connaître le rôle et les fonctions de l'agent de santé en hygiène industrielle.

    2. Voir l'organisation d'un service de santé en industrie.

    3. Apprécier l'importance d'un tel service pour la population de ce milieu et voir les implications au point de vue préventif.

CHAPITRE NEUVIÈME

9.0 Sauvegarder la santé

9.1 Les organismes officiels de santé

9.2 Les organisations bénévoles

9.3 Loi 65 au Québec

9.4 Questionnaire

9.0   SAUVEGARDER LA SANTÉ

9.1   LES ORGANISMES OFFICIELS DE SANTÉ

9.1.1   *SUR LE PLAN INTERNATIONAL*

9.1.1.1   O.M.S.: Organisation Mondiale de la Santé

L'O.M.S. fut créée en 1946 et est une des institutions spécialisées des Nations Unies. Elle comporte 120 états-membres. Le programme est déterminé par l'assemblée mondiale de la santé, conférence annuelle des représentants de tous les états-membres. Le siège de l'organisation est situé à Genève et les principales régions sont les suivantes:

Afrique	Europe
Amérique	Méditerranée orientale
Asie du sud-est	Pacifique occidental

Définition de la santé selon l'O.M.S.

"La santé est un état de complet bien-être physique, mental et social et ne consiste pas en une absence de maladies ou d'infirmités". La santé étant un processus physique, psychique et social, elle se manifeste différemment pour chaque être humain car chacun possède sa propre constitution et réagit de façon individuelle selon l'influence qu'il reçoit de la famille et de son groupe social.

Les principes fondamentaux (6)

Selon l'O.S.M., les principes suivants sont à la base du bonheur des peuples, de leur relation harmonieuse et de leur sécurité:

- Coopération de l'individu et des Etats (la santé de tous les peuples est une condition fondamentale de la paix du monde et de la sécurité).
- L'inégalité des divers pays en ce qui concerne la lutte contre les maladies, en particulier les maladies transmissibles, est un péril pour tous.
- Le développement sain de l'enfant est d'une importance fondamentale.
- L'aide du public est d'une importance capitale pour l'amélioration de la santé des populations.
- Les gouvernements ont la responsabilité de la santé de leurs peuples, et doivent avoir les mesures sanitaires et spéciales appropriées.
- L'état de santé est l'un des droits fondamentaux de tout être humain quelles que soient sa race, sa religion, ses opinions politiques, sa condition économique ou sociale.

But

C'est d'amener tous les peuples au plus haut niveau de santé possible.

Fonctions

- Agir en tant qu'autorité directrice et coordinatrice des travaux dans le domaine de la santé.
- Aider, sur leur demande, les gouvernements à renforcer leurs services de santé.
- Etablir et entretenir les services administratifs et techniques, et les travaux contre les maladies épidémiques, endémiques et autres.
- Coopérer avec les institutions spécialisées pour améliorer la nutrition, le logement, l'hygiène, les loisirs et tous les autres facteurs intéressant l'hygiène du milieu.
- Proposer des conventions, accords et règlements.
- S'employer à améliorer la santé et le bien-être de la mère et de l'enfant.
- Stimuler et guider les recherches dans le domaine de la santé et dans la formation du personnel sanitaire, médical.
- Fournir tous les renseignements, tous les conseils et toute l'assistance nécessaire dans le domaine de la santé.
- Etablir et reviser la nomenclature internationale des maladies, des causes de décès et des méthodes d'hygiènes publiques.

9.1.1.2 La Croix-Rouge internationale

Historique

Influence de la guerre. La guerre créa des besoins dont les gouvernements dûrent eux-mêmes assumer la charge. Le Service de santé des armées fut si vite débordé que, par un effort nouveau, la charité privée dût s'employer. Telle est l'origine de la Croix-Rouge.

Promoteur de la Croix-Rouge (Henri Dunant). Henri Dunant, né à Genève en 1828, témoin sur le champ de bataille de Solferino en 1859 des souffrances cruelles des blessés de guerre, entreprit d'organiser un service pour améliorer leur sort.

En 1868, des représentants de dix-sept nations se réunirent en Suisse pour mettre sur pied une société internationale de bienfaisance, qui prit le nom de Croix-Rouge, et qui devait avoir une répercussion considérable sur la profession d'infirmière.

Dunant devait attirer l'attention des gouvernements sur le sort pitoyable des blessés qu'on laissait mourir sur les champs de bataille. Dès lors, la Croix-Rouge accrût son influence dans le monde entier et fut même en mesure d'assurer une instruction spéciale aux hommes et aux femmes qui s'y enrolaient bénévolement comme infirmières et infirmiers.

La convention. A l'origine, l'idée de la Croix-Rouge avait été associée uniquement à la nécessité d'humaniser certaines conséquences de la guerre. Née sur un champ de bataille, l'institution n'avait pour objet que "l'amélioration du sort des militaires blessés dans les armées de campagne" selon les termes de la première convention de Genève. En 1892, encore on assistait à la cinquième convention internationale tenue à Rome, pour souligner que les fonds de la Croix-Rouge ne pouvaient être employés que pour secourir les blessés de la guerre.

Contenu de ces principales conventions

- L'amélioration du sort des blessés et des malades dans les forces armées en campagne.
- L'amélioration du sort des blessés, des malades et des naufragés des forces armées sur mer.
- Relative au traitement des prisonniers de guerre.
- Relative à la protection des personnes civiles en temps de guerre.
- Permission de la Croix-Rouge d'agir en temps de paix, c'est-à-dire tendre à l'élimination de la souffrance initiale.

Définitions des principes fondamentaux

— Humanité: La Croix-Rouge s'efforce de prévenir et d'alléger en toutes circonstances les souffrances des hommes. Elle tend à protéger la personne humaine.

— Impartialité: Elle ne fait aucune distinction de nationalité, de race, de religion, et de conditions sociales. Elle s'applique à secourir les individus à la mesure de leur souffrance et de subvenir aux besoins les plus urgents.

— Neutralité: La Croix-Rouge s'abstient de prendre part aux hostilités afin de garder la confiance de tous.

— Unité: Il ne peut y avoir qu'une seule société de la Croix-Rouge dans un même pays. Elle doit être ouverte à tous et étendre son action humanitaire au monde entier.

— Universelle: La Croix-Rouge est une institution universelle, au sein de laquelle toutes les sociétés ont des droits égaux et le devoir de s'entraider.

Activités de la Croix-Rouge

GÉNÉRALES:
- Soigner les malades
- Echanger des prisonniers de guerre
- Préparer des infirmières et des aides compétentes
- Secourir les populations en cas de désastre
- S'occuper des civils sans famille, et des sinistrés

EN TEMPS DE GUERRE:
- Secourir les blessés

- Aider aux rapatriements des civils
- Distribuer aux prisonniers de guerre des médicaments

EN TEMPS DE PAIX:

- S'occuper du bien-être des anciens combattants
- Secourir les familles
- Rechercher un membre disparu
- Donner des cours de soins à domicile et des cours de natation
- Organiser au besoin des cliniques volantes médicales et dentaires
- Prêter des accessoires de chambre aux malades

9.1.1.3 Les autres organismes internationaux

Pour continuer à énumérer d'autres organismes, on retrouve sur le plan international:

Le Fonds des Nations Unies pour l'Enfance (U.N.I.C.E.F.)

Le programme d'assistance en faveur de l'enfance portait, en 1973, sur 500 projets concernant le développement de l'infrastructure sanitaire dans le domaine de la protection maternelle et infantile, la lutte contre les maladies transmissibles et la malnutrition, l'éducation de l'enfance, etc.

Le Centre International de l'Enfance (France)

Fonds européens de développement

Agence for International Development (U.S.A.)
(L'agence pour le développement international)

A.C.D.I. (Canada) avec ses programmes axés sur l'éducation et l'animation rurale. Le domaine sanitaire n'est pas pour autant négligé. Etablissement de santé multidisciplinaire au Niger (1973). Bâteau-hôpital, sur le Fleuve Congo.

Volontaires du Progrès

Médicas Mundi

Peace Corps - Secours catholique et américain

OXFAM

S.U.C.O.

F.A.O.

Rallye Tiers-Monde

C.I.D.R. (organisme bilatéral)

Communautés religieuses

9.1.2 SUR LE PLAN NATIONAL

Ministère de la santé et du bien-être social

Le ministère de la santé nationale a été créé en 1919 et réorganisé en 1944, sous le nom de "Ministère de la santé et du bien-être social". L'organisation du ministère comprend 3 branches:

Administration
Santé
Bien-être

Les principales divisions:
- division des aliments, drogues et laboratoires
- contrôle des narcotiques
- service de santé
- service de santé des Indiens
- services consultatifs

Responsabilités de la santé publique:
- au point de vue international
- prévention interprovinciale des maladies
- protection du public contre la fraude alimentaire
- vulgarisation de l'hygiène
- assistances fédérales aux services fédéraux, aux provinces et aux organisations volontaires de santé

9.1.3 *SUR LE PLAN PROVINCIAL*

Ministère de la santé

Les responsabilités du service provincial de la santé:
- faire les lois et les règlements des municipalités
- collecte, compilation et interprétation des statistiques démographiques
- prévention des maladies contagieuses, recherche des causes des maladies et de la mortalité
- organisation des bureaux d'hygiène municipaux pour faire observer les règlements sanitaires et prévenir des maladies épidémiques
- organisation des unités sanitaires dans les comtés
- la lutte contre la tuberculose et les maladies vénériennes
- l'inspection des établissements industriels et contrôle sanitaire de:
  a) l'eau potable
  b) des déchets et des égouts
  c) modes d'opération des usines
- surveillance des sentiers de bûcherons
- l'inspection des hôtels et des restaurants, des maisons de logements, des camps de touristes et l'application des règlements sous le contrôle du bureau du revenu.

Les unités sanitaires

Le but principal des travaux et des expériences scientifiques de ces unités sanitaires est l'éducation publique.

Personnel minimum selon la population:
   1 à 3 médecins hygiénistes
   1 à 5 infirmières
   1 à 2 inspecteurs sanitaires
   1 à 2 employés de bureaux

9.1.4 *SUR LE PLAN MUNICIPAL*

Les municipalités qui sont populeuses sont obligées d'organiser seules un Service de Santé et de nommer un médecin hygiéniste ainsi qu'un personnel sanitaire.

Le rôle d'un service de santé municipal:
1. Eliminer les fléaux sociaux (drogues, alcoolisme, maladies vénériennes)
2. Contrôler les maladies contagieuses
3. Mettre en application les lois et les règlements d'hygiène

SCHÉMA DE L'ORGANISATION SANITAIRE DU CANADA: O.M.S.

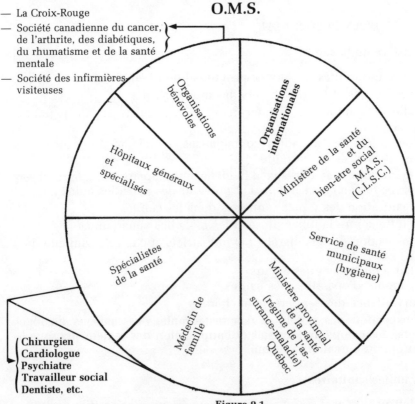

Figure 9.1

9.2   ORGANISATIONS BÉNÉVOLES

Les organisations bénévoles de santé et bien-être social jouent donc, à l'heure actuelle, un double rôle. Ce rôle consiste d'une part, à fournir des services de prévention et de réadaptation, qui en plus de répondre aux besoins essentiels peuvent, dans les conjonctures actuelles, faire toute la différence entre le simple fait d'exister et celui de vivre convenablement, et, d'autre part à nous ménager à tous l'occasion de contribuer à l'élaboration d'une juste politique sociale pour le Canada.

9.2.1   *SUR LE PLAN INTERNATIONAL*

La Croix-Rouge c'est une organisation bénévole de santé qui rend à la société des services indispensables, inestimables, basés sur les principes suivants:

Humanité
Impartialité
Neutralité
Unité

9.2.2   *SUR LE PLAN NATIONAL*

— Croix-Rouge
— Victorian Order of Nurses (organisations qui visitent à domicile)
— Ligue Canadienne de la Santé
— Société ambulancière St-Jean

L'association ambulancière St-Jean effectue deux genres de services essentiels. La brigade ambulancière dispense les premiers soins lors de rassemblements, qu'il s'agisse de défilés, de parties de football ou toute autre occasion. Elle forme un groupe d'hommes et de femmes qui travaillent tous bénévolement sans autre récompense que le sentiment de satisfaction que l'on ressent en aidant son prochain.

Le second aspect du travail est donc la formation du grand public en premiers soins et en soins infirmiers à domicile.

9.2.3   *SUR LE PLAN PROVINCIAL*

— Croix-Rouge
— La ligue anti-tuberculeuse
— La Victorian Order of Nurses
— La Société ambulancière St-Jean

9.2.4   *SUR LE PLAN LOCAL*

Elles fournissent des soins de chevet à domicile, y compris la réadaptation de ceux qui pourraient reprendre une vie normale parmi les autres, à la suite d'une maladie ou d'un accident, mais qui ne sauraient se payer le luxe d'appareils ou de soins spéciaux.

— Assistance Maternelle
— Institut Bruchési (enfants tuberculeux, infirmes)

— Société Ambulancière St-Jean

— Service de santé de Montréal: En 1951 furent organisée les Commissions locales de Santé. En 1876 le service de santé fut établi légalement. Il fut réorganisé en 1918 et 1928. Depuis 1938 décentralisation des districts sanitaires.

Organisations des principales divisions:

— démographie: dresse le bilan de la vitalité de la population de la province

— inspection sanitaire: juridiction sur les aqueducs, usines de purification d'eau, systèmes d'égoût, usines de pasteurisation du lait et les bains publics

— maladies vénériennes: (la déclaration de ces maladies est obligatoire). Enrayer et traiter ces maladies.

— maladies contagieuses

— hygiène de l'enfance

— contrôle légal et bureau médical légal

— tuberculose: vise à enrayer T.B.

— inspection des aliments; améliorer l'alimentation

9.3   LOI 65 AU QUÉBEC

Il s'agit pour le ministère des affaires sociales dans la réorganisation et transformation de certains types d'établissements, d'en regrouper quelques-uns, de créer de nouvelles structures locales et régionals.

9.3.1   Les objectifs

1. Améliorer l'état général de santé de la population ainsi que les conditions sociales du milieu.

2. Rendre les soins de santé et les services sociaux plus accessibles.

3. Faire participer la population par voie d'élection et de délégation de pouvoir aux différents paliers de décision qui affectent la gestion des services de santé et des services sociaux.

4. Régionaliser les services et l'administration par la constitution de conseils régionaux.

5. Mieux adopter les soins de santé et les services sociaux aux besoins réels de la population en tenant compte de toutes les particularités régionales.

6. Rendre les régimes de santé et services sociaux plus rationnels dans leurs structures et plus efficaces dans leurs opérations en regroupant les établissements en (4) grandes catégories et en établissant des liens entre ces établissements.

7. Favoriser la recherche et l'enseignement en vue de rendre de meilleurs servicess à la population.

La population a son mot à dire

Le ministère des affaires sociales s'est fixé comme première priorité de mettre sur pied des conseils régionaux de la santé et services sociaux à travers le Québec.

Le conseil régional est un organisme consultatif dont les pouvoirs sont exercés par un conseil de 21 membres, nommés pour deux ans. Quatre des membres sont élus par les maires; deux sont nommés par les universités desservant la région; trois par les centres hopitaliers; trois par les centres de services sociaux; trois par les centres d'accueil; trois par les centres locaux de services communautaires; un par le Cegep; deux par le lieutenant-gouverneur en conseil après consultation auprès des groupes sociaux-économiques les plus représentatifs de la région.

9.3.2 Les fonctions des conseils régionaux

1. Stimuler la participation de la population du milieu à identifier ses besoins et à la gestion des établissements qui le desservent.
2. Assurer un lien entre le ministère, les établissements et la population
3. Interpréter après vérification les difficultés qui surgissent dans le milieu
4. Recevoir les plaintes et les analyser dans le milieu
5. Régir les élections qui se tiennent dans les différents établissements situés dans le territoire de leur juridiction
6. Veiller à la mise en place et au respect des mécanismes démocratiques prévus par la loi
7. Conseiller et assister les établissements dans l'élaboration de leurs programmes de développement et de fonctionnement des services de santé et des services sociaux.
8. Promouvoir la mise en place des services et une meilleure répartition des services dans la région.
9. Adresser au ministère au moins une fois par année ses recommandations pour une meilleure utilisation des ressources régionales.

La loi 65 dans le but de rendre accessible à la population régionale tous les services de santé, prévoit au niveau des structures, la formation de centres hospitaliers.

9.3.3 Les centres hospitaliers

C'est l'endroit où l'on reçoit des individus pour fins de prévention, de diagnostic médical, de traitement, de réadaptation physique ou mentale.

Si ce centre est lié à une université, il est reconnu comme centre hospitalier à vocation universitaire. Lorsqu'il est situé pour remplir une fonction régionale, c'est un centre hospitalier régional.

Il y a présentement quatre types de centres hospitaliers:

a) *Les centres hospitaliers de soins généraux*
Ces centres fournissent des services généraux de chirurgie, de

médecine, d'obstétrique, de gériâtrie, d'anesthésie, de radiologie et certains services de laboratoire et de pharmacie.

b) *Les centres hospitaliers de soins spécialisés*
Ils assurent en plus des soins généraux, des services de médecine interne, de chirurgie générale, de biologie médicale, pharmacie, pédiatrie, obstétrique, psychiâtrie.

c) *Les centres hospitaliers ultra-spécialisés*
Ces centres offrent des services qui nécessitent des équipes de professionnels, du matériel et des appareils ultra-spécialisés.

Les services sont les suivants: la neurochirurgie, radiothérapie, chirurgie cardio-vasculaire et thoracique, néphrologie et génétique.

d) *Les centres hospitaliers des soins prolongés*
Ils se subdivisent en deux:

1) Le centre hospitalier pour convalescents; il offre des services de soins médicaux et de réadaptation aux personnes qui ont besoin de traitements.

2) Il s'adresse aux malades à long terme; il assure les soins d'une façon continue.

En plus de réaménager les institutions de santé et de services sociaux, la loi 65 crée une structure nouvelle appelée centre local de services communautaires (C.L.S.C.).

9.3.4   Le C.L.S.C.

C'est un établissement qui assure à la communauté des services de prévention et d'action sanitaires:

a) Il reçoit ou visite des personnes qui requièrent des soins de santé ou l'aide des services sociaux

b) Il conseille ou dirige vers d'autres établissements plus aptes à répondre à leurs besoins

c) Il répond sur une base externe à la majorité des besoins courants de la population

Les services offerts par les C.L.S.C.

Les centres locaux de services communautaires offrent à la population deux types de services: *Les services de base* et *les services particuliers*.

Services de base: l'accueil, l'information, la référence aux services spécialisés, les soins d'urgence, l'animation et l'éducation sociale.

Services particuliers: Les services de santé et sociaux en milieu scolaire, le contrôle de la grossesse et des nouveaux-nés, service aux personnes âgées, l'éducation sanitaire, l'hygiène dentaire, la planification familiale, la prévention et le traitement pour abus de drogue.

Les critères d'implantation d'un C.L.S.C.

Il est nécessaire de se baser sur trois critères particuliers:

a) Le besoin de la population desservie doit être de 10 000 personnes en milieu rural et de 30 000 en milieu urbain

b) La durée du voyage pour se rendre au C.L.S.C. doit être inférieure à 30 mi.

c) Le milieu doit disposer des ressources humaines et physiques nécessaires. Les endroits les plus défavorisés en matière de services sociaux et de services de santé ont la priorité dans le programme d'implantation des C.L.S.C. par le ministère des affaires sociales tout en tenant compte des contraintes financières et des ressources humaines et physiques disponibles dans le milieu. En plus des centres hospitaliers et des centres locaux de services communautaires, la loi 65 prévoit l'élaboration de centres de services sociaux et de centres d'accueil. *Le centre de services sociaux fournit aux personnes qui le requièrent ainsi qu'à leur famille des services sociaux spécialisés soit en recevant ces personnes ou en les visitant. Ce service offre en plus aux personnes en difficultés (d'ordre social) l'aide requise pour les secourir, en mettant à leur disposition des services de prévention, de consultation, de traitement psychosocial, de réadaptation, d'adoption, de placement d'enfants ou de personnes âgées.*

9.3.5 Le centre d'accueil

C'est un endroit où on accueille des personnes âgées, des déficients physiques, caractériels, psychosociaux ou familieux pour les loger, les entretenir, les garder sous observation, les traiter ou réadapter. Ils peuvent être soignés ou gardés en résidence protégée ou en cure fermée.

Il y a quatre sortes de centres d'accueil:

Les centres de garderie

Ils reçoivent des enfants à qui on offre pendant une partie de journée des soins et un programme d'activités visant à promouvoir leur développement physique, intellectuel et social.

Les centres de transition

Ces centres reçoivent des personnes qui, privées de leur milieu familial habituel, doivent recourir provisoirement à une ressource de protection.

Les centres de réadaptation

Ces centres s'adressent aux personnes qui, en raison d'inadaptation majeure sur le plan physique, intellectuel, psychologique ou social, doivent bénéficier de services intensifs de réadaptation ou d'orientation pour une période définie.

Les centres d'hébergement

Ils sont conçus pour les personnes qui, en raison d'une diminution de leur autonomie physique ou psychique, doivent séjourner en résidence protégée.

9.3.6 Le département de Santé Communautaire

Une nouvelle structure est venue s'ajouter à celles déjà en place: le D.S.C. (Département de Santé Communautaire)

Ce service adhère aux hôpitaux et englobe les écoles et le collégial. C'est une structure assez lourde, et on peut se poser cette question: *Cette centralisation améliore-t-elle les services actuels? Cette grosse machine bureaucratique satisfait-elle le travail des agents de santé?*

La politique contemporaine de la santé au Québec est axée principalement sur les besoins de la population. Elle travaille aussi bien à l'état de santé de la population que sur le milieu dans lequel elle évolue.

La tendance actuelle des soins

La tendance actuelle des soins est orientée vers les centres communautaires. Le centre communautaire est organisé de façon à ce que l'individu s'occupe de ses problèmes de santé. Il met l'accent sur l'adaptation des individus à leur environnement habituel, maison, école, et à leur environnement inhabituel, l'hôpital.

9.4 QUESTIONNAIRE

1. a) Qu'est-ce que l'O.M.S.?
   b) Comment l'O.M.S. définit-elle la santé?
   c) Quels sont ces principes fondamentaux?
   d) Quel est son principal but?
   e) Quelles sont ses fonctions?

2. a) Qu'est-ce qui amena l'organisation de la Croix-Rouge?
   b) Quelles sont ses principales conventions?
   c) Quelles sont ses activités en temps de guerre et en temps de paix?

3. a) Que comprend le Ministère de la santé et du bien-être social?
   b) Quelles en sont les principales divisions?
   c) Quel est le but des unités sanitaires?
   d) Quel est le rôle d'un service de santé municipal?

4. a) Quels sont les rôles des organisations bénévoles de santé et de bien-être social?
   b) Quels services offrent-elles sur le plan national et international?

c) Quels services offrent-elles sur le plan provincial et local?

5. Quels sont les organismes qu'on retrouve sur le plan international?

6. a) Qu'est-ce que la loi 65?
   b) Quels sont ses objectifs?
   c) Qu'est-ce qu'un conseil régional de la santé?
   d) Quelles sont les fonctions des conseils régionaux?

7. a) Qu'est-ce qu'un centre hospitalier?
   b) Quels sont les différents types de centres hospitaliers existants?

8. a) Qu'est-ce qu'un C.L.S.C.?
   b) Quels sont les services offerts par les C.L.S.C.?
   c) Quels sont les critères d'implantation d'un C.L.S.C.?

9. a) Qu'est-ce qu'un centre d'accueil?
   b) Quels sont les principaux centres d'accueil au Québec?

10. Quelle est la tendance actuelle des soins?

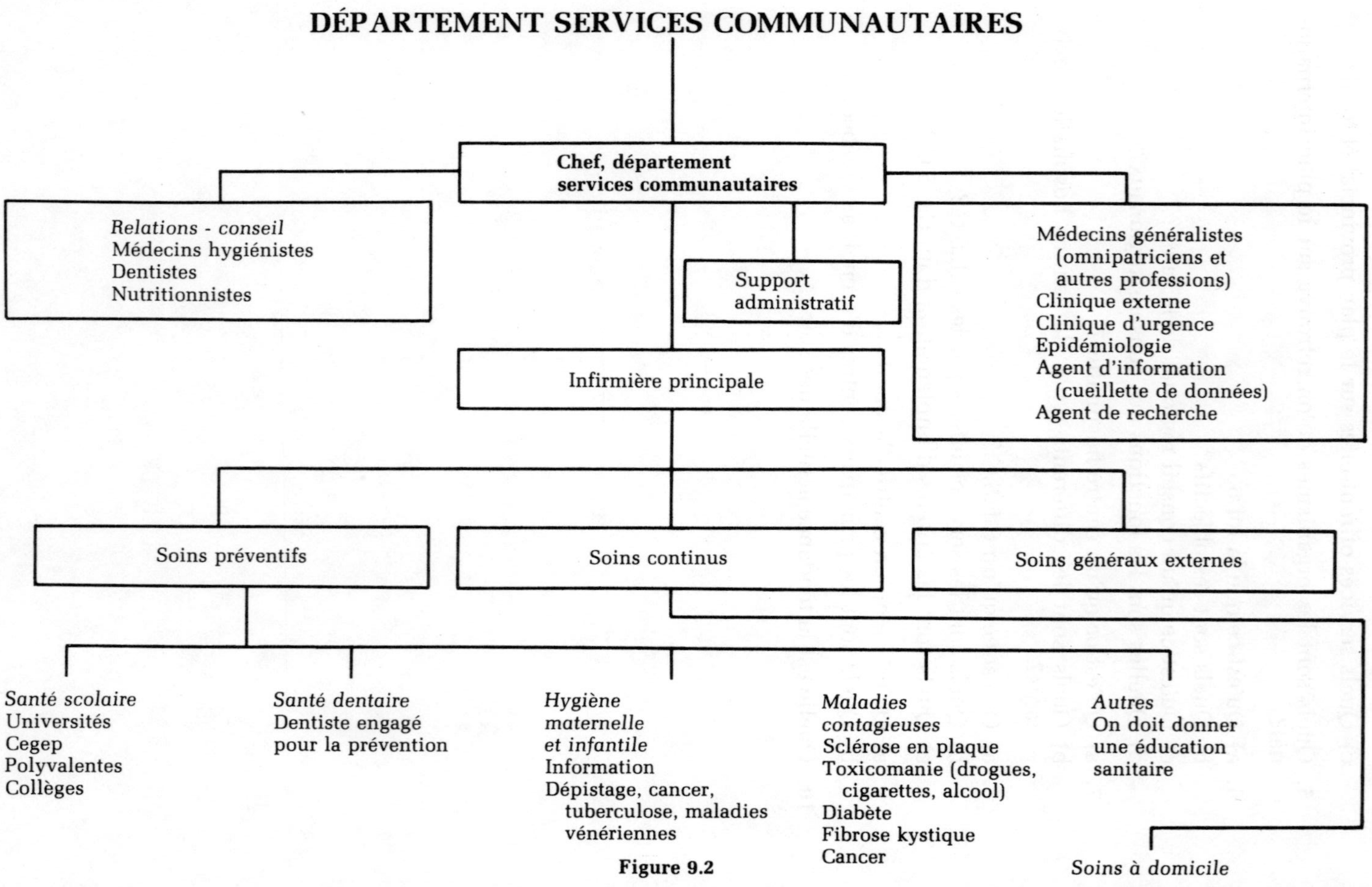

DÉPARTEMENT SERVICES COMMUNAUTAIRES
Chef, département services communautaires
Relations - conseil
Médecins hygiénistes
Dentistes
Nutritionnistes
Support administratif
Médecins généralistes (omnipatriciens et autres professions)
Clinique externe
Clinique d'urgence
Epidémiologie
Agent d'information (cueillette de données)
Agent de recherche
Infirmière principale
Soins préventifs
Soins continus
Soins généraux externes
Santé scolaire
Universités
Cegep
Polyvalentes
Collèges
Santé dentaire
Dentiste engagé pour la prévention
Hygiène maternelle et infantile
Information
Dépistage, cancer, tuberculose, maladies vénériennes
Maladies contagieuses
Sclérose en plaque
Toxicomanie (drogues, cigarettes, alcool)
Diabète
Fibrose kystique
Cancer
Autres
On doit donner une éducation sanitaire
Soins à domicile

Figure 9.2

"Une société surindustrialisée rend malade
en ce sens que les gens sont incapables de s'y
protéger. Ils se révolteraient contre elle si les
docteurs ne leur fournissaient un diagnostic
expliquant leur incapacité de "faire face"
comme un défaut de santé".

Ivan Illich

CHAPITRE DIXIÈME

10.0 L'individu, agent de sa propre santé

10.1 De la jeunesse à la sénilité

10.2 Facteurs de nuisance à la santé

10.3 Facteurs de vitalisation

10.4 Questionnaire

10.0 L'INDIVIDU, AGENT DE SA PROPRE SANTÉ

L'individu évolue à travers différentes positions qu'il tient dans la société et en accord avec différents stades de la vie. Plusieurs personnes passent la plus grande partie de leur vie dans des organisations qui ont pour mandat explicite de les changer. Certaines désirent apprendre les habiletés de base à l'école, se perfectionner à l'université ou apprendre certaines habiletés de travail dans les écoles de métier. Avec l'influence de la société, l'individu, s'il demeure créatif, arrivera à transformer l'ordre social et il se préparera aux différents rôles qu'il choisira de jouer (mari, employé, directeur de sa propre entreprise, etc.).

La vie est projection en avant, c'est un processus dynamique qui s'inscrit sans retour en arrière sur une échelle qui va *de la naissance à la sénilité.*

10.1 DE LA JEUNESSE À LA SÉNILITÉ

Cette échelle peut se diviser en quatre étapes:

L'étape de la jeunesse: de la naissance à environ 28 ans.
L'étape adulte: de 28 ans à 56 ans.
L'étape qu'on appelle sénescence: de 56 à 84 ans.
Et l'étape de sénilité: 84 ans et plus.

N _____1_____28
     jeunesse   _____2_____56
                      adulte   _____3_____84
                                 sénescence   ____4____
                                              sénilité

10.1.1 Jeunesse

De la naissance à 7 ans

2 ans: Piaget l'appelle la phase de négativisme (la crise du non).

D'où vient donc l'entêtement déraisonné des adultes?

De cette crise du *non*, non résolue.

Cette négation de l'enfant est un défi à l'éducation des parents.

3-4 ans: Acceptation sexuée de notre individualité.

Quand il y a refus à accepter son sexe, il y a *transexualisme.*

Exemple: Je peux être une tête de fille dans un corps qui n'est pas celui d'une fille. L'enfant n'est pas bien sans sa peau.

7 ans: L'étape du développement du système *nerveux sympathi*que. Ce développement le pousse à être agité et agressif. Il crie. Il ne veut pas se coucher parce qu'il est angoissé. Il a peur de dormir, il a peur d'arrêter de respirer. Il se perçoit comme mortel, il commence à se représenter la mort comme réalité. Souvent, il refusera de jouer de crainte de se blesser et de mourir. L'abandon d'un enfant à cet âge est très grave.

8 ans à 14 ans: Le langage viscéral est le dominant. Il souffre de dystonie-neuro-végétative. Ex.: L'enfant ne veut pas aller à l'école un bon matin, il dit avoir mal au ventre. Si vous continuez adroitement votre investigation, vous réaliserez qu'il a un concours à passer. Sa tension abdominale disparaîtra très vite quand vous lui aurez fait prendre conscience de sa nervosité et qu'il doit apprendre à *faire face:* c'est son identification sociale qui en dépend.

14 ans à 21 ans: L'âge des records olympiques et des biorythmies de hausses et de baisses très fréquentes.

Il se présente, chez l'adolescent, une difficulté à accepter son physique. Il croît très rapidement et il ne sait que faire de ses longs bras et de ses jambes. S'il a un petit défaut dans le visage, il aura tendance à grossir ce défaut. Exemple: un nez long.

Reild dans "l'enfant agressif" affirmait: "que le travers d'un délinquant vient souvent d'une mauvaise conception que le jeune a de lui-même.

Exemple: Un jeune a appris à s'aimer dans un centre de détention par le truchement de la photo.

21 ans à 28 ans: À cet âge, c'est la fin de la croissance, on est des adultes à l'essai.

C'est l'âge des choix.
On s'émerveille de tout.
C'est le démarrage psycho-social.
L'âge des responsabilités.
On a besoin de s'embarquer dans quelque chose.
De l'acceptation de ses limites.

Exemple: Je peux faire n'importe quoi, mais je ne choisis qu'une chose. Le début de l'âge raisonnable.

10.1.2 Adultes

28 ans: Fin de la jeunesse. L'âge des liens.

35 ans: L'âge de la remise en question, l'âge ou l'on paie nos erreurs d'orientation, d'aiguillage, nos accrochages avec la vie.

On a expérimenté nos limites.

Période de saturation:

— engagement   — responsabilité

La crise d'adulte:

On a subi des contrariétés importantes, les vides, la monotonie. Période de réflexion qui peut durer de deux ans à quatre ans. Plusieurs passent facilement au travers, d'autres ne peuvent en sortir.

L'homme et la femme réagissent différemment.

L'homme recherche la sécurité matérielle. Exemple: Il prend une police d'assurance, s'achète une maison.

La femme développe une philosophie de l'existence, elle deviendra plus compréhensive, plus présente.

Les couples en situation d'échec commencent à regretter leur décision des 28 ans. S'ils ne consentent pas à cette remise en question, ils évoluent vers une névrose d'échec.

Si l'individu mise sur ses engagements et qu'il peut réorganiser sa vie de façon positive, il pourra vivre en harmonie avec lui-même et avec les autres, sinon ce sera peut-être pour lui le début de l'alcoolisme chronique, d'un divorce ou abandon.

On réalise que le bonheur est une auto-création et qu'on peut devenir soi-même des expressions d'amour: les exigences doivent être à notre mesure. J'ai le choix entre embellir mon existence ou la dégrader.

42 ans à 56 ans: Nous atteignons la moitié de la vie. Le corps commence à donner des avertissements; des événements surgissent, mortalité d'un frère, d'une soeur, de parents qui nous amènent à réfléchir sur notre propre mort. Nous avons vécu Les expériences que nous voulions vivre ou que nous avions à subir. Nous sommes parvenus à une connaissance de notre corps, de ses faiblesses et de ses limites, nous donnant une certaine sagesse: nous ne pouvons plus nous mentir à nous-mêmes. Il peut surgir à ce moment une perte de confiance en soi qui rende dépressif. C'est l'âge de nouvelles amitiés. Il peut apparaître une sclérose mentale pour ceux qui ont abandonné l'école très jeune et qui n'ont fait aucun effort intellectuel par la suite.

10.1.3 Sénescence

56 ans: Crise de sénescence qui durera de 6 à 8 ans. Contenu émotif chargé. L'approche de la retraite. Plusieurs se laissent aller et meurent, d'autres se cherchent une maladie chronique et ne veulent pas guérir, car la guérison voudrait dire retrouver ses obligations. Le sexe masculin traverse difficilement cette étape. La femme, elle, prendra la chaise roulante.

63 ans: En Occident, bien des parents entrent dans une vie de couple, ils deviennent amoureux. Ils sont de plus en plus sensibles, un rien leur fait plaisir. La nature a plus d'attrait. Ils s'entourent de plantes. En Orient, plusieurs couples se séparent pour se retirer chacun de leur côté dans un lieu de retraite où ils termineront leur vie en se préparant à la mort. D'autres se feront mendiants volontaires dans le but d'un total détachement.

70 ans à 80 ans: L'homme cherche à vivre en harmonie avec les autres. Après 80 ans, on ne vieillit plus, on jouit de la vie.

Ces différentes étapes que l'homme a à traverser dans son existence seront épanouissantes ou causes de conflits continuels selon les choix de santé qu'il fera. Selon qu'il acceptera certains facteurs de nuisance ou de vitalisation, il se détruira lui-même ou il jouira de la vie.

Quelle sera ma propre décision?

10.1.4   Sénilité

Cette étape de la vieillesse est inhérente au processus de la vie au même titre que la naissance, la croissance, la reproduction, la mort. Le vieillissement survient lorsqu'un programme déterminé de croissance et de maturation est arrivé à son terme.

Il y a une relation entre vieillesse et maladie; celle-ci accélère le grand âge, dispose à des troubles pathologiques, en particulier au processus dégénératifs des cellules et des tissus qui le caractérisent. La sénilisation dit un gérontologue américain Howell, "n'est pas une pente que chacun descend à la même vitesse. C'est une volée de marches irrégulières que certains dégringolent plus vite que d'autres". Le déclin est accéléré ou retardé par de nombreux facteurs: la santé, l'hérédité, l'environnement, les émotions, les habitudes passées, le niveau de vie.

Si la vie physiologique se dégrade gravement, les facultés intellectuelles se troublent. Le fonctionnement du cerveau est moins souple en raison de la sous-oxygénation. Il en résulte donc une perte de mémoire et une irrégularité dans les opérations mentales.

10.2 FACTEURS DE NUISANCE À LA SANTÉ

On se plaint beaucoup aujourd'hui de différents maux qui surgissent dans notre vie et, au lieu de remonter à la cause, on a souvent tendance à recourir aux cataplasmes.

Alors que survient-il?

On prend des béquilles qui semblent être une compensation valable pour nous aider à traverser le chemin de la vie et on traîne sa vie comme un boulet au pied en choisissant différents facteurs de nuisance à la santé.

Quels sont-ils ces principaux facteurs de nuisance?

10.2.1   La malnutrition

La malnutrition affecte les deux tiers de l'humanité. Savoir se nourrir, c'est apprendre à vivre en santé. Nous n'avons pas besoin d'une grande quantité d'aliments si la qualité alimentaire est là et s'il y a équilibre entre nos besoins énergétiques et ce que nous ingérons.

Il y a surcharge de graisse chez 1 individu sur 5.

100 lbs de poids de plus = 25 chaudières de graisse.

La longue vie est compatible avec une bonne qualité alimentaire. Savoir manger, c'est savoir choisir ses aliments. Nous arrêtons-nous à nous demander si tel aliment que nous ingurgitons nous nourrit vraiment et contribue à régénérer nos cellules?

10.2.2 Les accidents

Est-ce croyable de penser que nous avons au Québec le plus grand nombre d'accidents ou d'invalidité? Nous vivons continuellement sur la corde raide. En sommes-nous conscients? Les accidents de la route entre 15 et 24 ans représentent environ les 2/3 des accidents. Les accidents de la circulation ne constituent pas la cause la plus importante de mortalité. Ils représentent environ 35% des décès accidentels. Viennent ensuite les chutes: 75% des chutes se produisent chez les personnes au delà de 75 ans. Les noyades 3%, les brûlures 1%, les blessures mortelles par armes à feu 5%.

La prénominance masculine est la plus forte pour les décès par armes à feu et la plus faible pour les chutes. Les accidents de travail causent environ 5% des blessures. Les accidents survenant à domicile ont pour cause principale le feu, l'empoisonnement par liquides ou solides, intoxication au gaz, etc... Les étouffements chez les enfants de moins de 5 ans.

10.2.3 La pollution

Elle existe aujourd'hui sous toutes les formes: fumée de cigarettes, bruits de toutes sortes, l'eau, etc... Pouvons-nous y remédier? Tous les médias d'information, journaux, radio, télévision, visent à sensibiliser la population à des cas de pollution de certains lacs qui sont devenus des dangers pour la baignade. Il existe présentement des comités de citoyens pour développer chez les jeunes le goût de la nature, qui luttent pour protéger les forêts, combattre la pollution, des clubs de montagnes, des sentiers pour les randonnées pédestres, etc... L'initiative du "Point sur l'Environnement dans l'Estrie" aurait avantage à être reprise dans toutes les régions du Québec.

10.2.4 La toxicomanie

Toutes les drogues sans exception. Nous sommes des mangeurs de pilules au Québec. Nous accélérons le vieillissement de nos neurones. À chaque jour, 20,000 de nos neurones sur 10 milliards meurent et ne se reproduisent pas. L'usage des substances toxiques capables de modifier brutalement le comportement de l'individu remonte aux civilisations anciennes qui connaissaient déjà un grand nombre de plantes capables d'engendrer la toxicomanie, de créer chez le sujet une dépendance. Cependant, il y a quelques années, le phénomène drogue a pris une importance nouvelle dans plusieurs pays et particulièrement le nôtre. Un grand nombre de jeunes en sont devenus les victimes. Souvent poussés par un besoin de découvrir, de "voyager" et quelquefois frustrés dans leurs besoins les plus profonds, inquiets pour leur avenir, ils commencent à inhaler des solvants, à absorber des hallucinogènes, à consommer des barbituriques et des amphétamines. Ce phénomène survient après que les adultes aient institutionalisé l'abus régulier de médicaments tels que: somnifères, stimulants, tranquilisants, comprimés de toutes sortes contre la douleur.

Le phénomène drogue n'est en somme qu'un symptôme du malaise individuel et collectif créé par notre difficulté de s'adapter à une évolution trop rapide qui s'accomplit souvent au détriment de valeurs humaines essentielles. Malgré bien des efforts humains et financiers de prévention, le phénomène drogue n'est pas encore sous contrôle.

10.2.5 L'alcoolisme

L'alcoolisme est une maladie chronique qui se produit à la suite d'une surconsommation d'alcool. Cette évolution peut s'étendre sur une période de 7 à 25 ans. Elle varie selon la résistance et l'âge du sujet. L'alcool est un produit toxique que l'on classe dans la catégorie des dépresseurs de l'activité du système nerveux central. Aussitôt consommé, il passe tel quel dans le sang par les parois de l'estomac et du petit intestin, et il se répand dans tout l'organisme. Une large consommation d'alcool entrave les fonctions hépatiques et empêche l'emmagasinage des sucres et des vitamines essentielles. À long terme, il entraîne une sclérose et une détérioration grave des cellules du foie qui provoquent la mort. En ce qui a trait à *l'estomac,* il augmente la quantité du liquide stomacal qui provoque souvent des ulcères et des gastrites.

L'alcoolisme affecte donc gravement le psychisme et l'organisme humain. La cirrhose du foie en est l'une des conséquences physiques les plus redoutables car elle ne pardonne pas. Quant aux troubles du comportement, on a souvent des exemples: discordes familiales, difficultés financières, carrières brisées, délinquance, accidents routiers, etc...

La consommation abusive d'alcool ne constitue pas seulement un problème personnel, mais il concerne toute la société. Quand une personne est prise avec ce problème et qu'elle décide de ne plus toucher à l'alcool et à s'accepter telle qu'elle est, elle peut se réadapter et vivre une vie normale.

10.2.6 Le tabagisme

La méthode la plus répandue de l'utilisation du tabac au Québec est la cigarette.

En quoi consiste la fumée de cigarette?

La fumée de cigarette est un mélange de particules — goutelettes de goudron et autres composés, formant 40% de la fumée — avec du monoxyde de carbone et autres gaz. La *nicotine* présente dans le tabac est une drogue qui est toxique en grande concentration. Elle agit sur le coeur, les vaisseaux sanguins, l'appareil digestif et les reins; elle stimule puis réduit par la suite l'activité de certaines parties du cerveau et du système nerveux.

Le fait de fumer une ou deux cigarettes résultent en une augmentation du taux de pulsation, de la pression artérielle et une baisse de la température de l'épiderme. Il se produit une perte de l'appétit et une baisse d'endurance physique chez ceux qui respirent régulièrement la fumée de cigarette. Les fumeurs sont plus sujets à décéder de maladies cérébro-vasculaires que les non fumeurs. Fumer ralentit et même arrête la fonction des cils vibratils dans les conduits respiratoires, qui ont pour fonction d'arrêter le passage des poussières, permettant ainsi à des substances nuisibles de séjourner dans le système respiratoire. On retrouve souvent chez les gros fumeurs des infections du système respiratoire telles que: bronchite chronique, emphysème pulmonaire et la pneumonie est plus fréquente et plus grave.

Le cancer du poumon augmente en fonction du nombre de cigarettes qu'une personne fume par jour et du nombre d'années qu'elle fume. La cigarette joue un facteur important dans le développement du cancer de la bouche, du larynx, de l'oesophage. Les femmes qui fument durant leur grossesse ont tendance à avoir de plus petits bébés et à donner naissance prématurément.

L'habitude de la cigarette parmi le québécois de 15 ans et plus, est plus courante chez l'homme que chez la femme, mais dans un faible pourcentage. Une personne qui décide d'arrêter de fumer n'aura pas de réaction sérieuse, sauf qu'elle peut temporairement devenir agitée irritable, déprimée et étourdie. Il s'est créé une forte dépendance psychologique qu'elle aura peine à réfréner mais si la motivation est assez forte, elle y arrivera.

10.2.7 La fatigue, le stress

On ne sait plus se reposer. Cette fatigue se manifeste souvent par la faiblesse, la lassitude, parce qu'on n'a pas le travail adapté à sa constitution ou qu'on ne sait pas s'arrêter au bon moment. L'individu promu à un poste au-dessus de ses capacités sera probablement soumis à un tel stress en permanence et parfois sans en avoir conscience. Quand le milieu extérieur produit une agression, des signaux venus du cerveau agissent sur le système nerveux autonome provoquant alors la libération d'hormones comme l'adrénaline qui mettent l'organisme en état de réagir à l'agression. D'après des recherches effectuées à ce sujet, des cardiopathies et artérioscléroses constitueraient la cause majeure de ce stress extérieur permanent. Apprendre à se détendre, se distraire, avoir un travail qu'on aime, fait partie intégrante de l'art de vivre.

10.2.8 La consommation des médicaments

Depuis quelques dizaines d'années, l'augmentation de l'usage des stupéfiants, sédatifs et stimulants, a été continue en particulier chez les jeunes et les prévisions vont en augmentant en raison de ce besoin de sécurité de plus en plus grand qui fait qu'on a besoin de s'attacher à une béquille pour survivre. Ex.: Est-ce possible aujourd'hui pour plusieurs jeunes de passer une journée sans avoir fumé son "joint"? Selon une commission médicale chilienne, il n'existe en tout et pour tout que quelques dizaines de médicaments ayant une efficacité démontrable et la pharmacologie peut sans inconvénient être réduite en conséquence. Et pourtant dans tous les pays industrialisés, l'appareil médical et les dépenses dites de santé connaissent une expansion vertigineuse deux à trois fois plus rapide que celle du produit national. Les tranquilisants, les somnifères, font actuellement l'objet d'autant d'ordonnances (renouvelables) qu'il y a d'habitants.

10.2.9 Une sexualité abusive

Cette sexualité sans contrôle en plus de conduire souvent à un déséquilibre mental nous conduit à une recrudescence des maladies vénériennes et à une homosexualité grandissante.

Le danger d'une dénaturalisation sexuelle est croissante. La sexualité est l'une des dimensions les plus importantes dans le processus de personnalisation. Ses déviations personnelles ou collectives sont destructives quand elles empêchent son développement normal. Nos instincts ne doivent pas nous conditionner mais nous mûrir. La maturité ne s'acquiert pas sans conflit. Il ne s'agit pas de réprimer sa sexualité mais de l'assumer.

Cette connaissance de soi nous conduit à *l'auto-contrôle.*

Qu'est-ce que l'auto-contrôle?

C'est cette capacité que possède l'individu d'être en possession de tous ses moyens et qui lui confère une autonomie, une indépendance, face à son environnement: parce qu'il a une perception juste de lui-même, il peut alors développer un sens critique face à son milieu. Cet auto-contrôle conduit à vaincre le stress nuisible et favorise une *relaxation.*

10.3 FACTEURS DE VITALISATION

Il existe aujourd'hui plusieurs facteurs de vitalisation qui nous permettent de vivre en santé.

Quels sont ces facteurs de vitalisation qui nous intéressent ici?

10.3.1 Connaissance de soi

Si nous végétons et souffrons tant quelquefois, ne serait-ce pas à l'origine une méconnaissance de ce que nous sommes, de ce que nous pouvons être et de ce que nous pouvons faire?

Nos troubles ne viennent-ils pas de cette inconsciente recherche de nous-mêmes que nous poursuivons souvent sans le savoir?

La société nous demande de nous adapter aux changements en modifiant en nous *l'image qui égale personne*, et cette même société a une image de nous en tant que personne qui peut être différente de la réalité. Il y a souvent confrontation entre ces deux images, en raison de nos connaissances, de nos expériences et de notre système de valeurs.

Qu'est-ce qui nous permet vraiment de nous situer entre ces deux images?

Il s'agit d'être attentif à ce que l'on vit à chaque moment. Si nous avons conscience de nos sentiments, de nos attitudes et de nos motifs immédiats, nous nous découvrons progressivement à la lumière de notre propre expérience au lieu de chercher à garder ou préserver une image préconçue de ce que nous devrions être. Étant conséquents avec nous-mêmes, nous arriverons à faire l'unité en nous. Cette logique intérieure se réflètera dans notre communication; elle deviendra aussi stable que la connaissance que nous aurons de nous-mêmes. Cette connaissance de soi nous conduit à l'auto-contrôle.

10.3.2   La relaxation

La relaxation en plus d'être une détente musculaire est aussi une détente cérébrale. Se laisser aller, voilà la règle. En donnant du repos à son moi personnel, on arrive à découvrir la présence d'un soi plus grand. Voici une technique facile et efficace.

Relaxation par concentration

Cette méthode aidera ceux qui voudront l'adopter à développer leur concentration et à déclencher rapidement un état de relaxation. Lorsque vous êtes confortablement installés, concentrez-vous sur le rythme de votre respiration: inspiration et expiration. Lorsque vous *expirez*, imaginez que vos soucis et vos inquiétudes vous abandonnent. Lorsque vous *inspirez*, imaginez que vous absorbez de l'énergie vitale. Laissez la paix et la joie envahir chaque cellule de votre être, de votre coeur, de votre esprit. Vous vous concentrez ensuite sur chaque partie de votre corps, en commençant par les pieds. Essayez de vous identifier avec vos pieds de façon à n'être plus conscient des autres parties du corps. Vous arriverez ainsi à la détente totale de cette région. Passez à la jambe droite et tentez de percevoir toutes les sensations qu'elle peut éprouver. Concentrez-vous sur votre jambe droite jusqu'à ce qu'il vous semble que c'est la seule partie de votre corps qui existe. Passez à la jambe gauche. À mesure que vous concentrez votre attention, vous perdez conscience des autres parties du corps. Concentrez-vous sur vos muscles fessiers, vos hanches, sur les parties génitales et sur l'abdomen. Laissez-vous aller et essayer de ressentir toutes les sensations qui s'y produisent. Étudiez les mouvements de votre estomac et de vos intestins. Laissez votre conscience s'intégrer à cette partie de votre corps et vous sentirez la détente envahir la partie inférieure de votre tronc...

Nos bons sports d'hiver

Poisson quand je te tiens

Nous remontons maintenant vers la partie supérieure du tronc. Visualisez la forme de votre corps et concentrez-vous sur ce que vous ressentez. Soyez conscients des battements de votre coeur, épousez ce rythme, ces pulsations de vie et cette énergie qui sont en vous. Maintenant ouvrez-vous à l'Amour universel, source de toute énergie qui est situé au centre de votre corps, dans votre coeur... Faites une pause. Concentrer maintenant votre attention sur les poumons. Concentrez-vous sur l'expiration et l'inspiration sans faire d'efforts pour contrôler votre rythme respiratoire.

Consacrez quelques minutes à vous concentrer sur les mouvements de votre souffle. L'expiration vous purifie des éléments négatifs et l'inspiration vous comble de joie, de paix et d'amour... Une profonde détente se communique à tout votre être.

Vous vous concentrez maintenant sur le bras droit. Soyez conscient de votre bras de façon à ce que rien d'autre n'existe pour le moment... Passez ensuite au bras gauche. Essayez d'en percevoir toutes les sensations. Devenez votre main gauche. Percevez les épaules, dessinez-les mentalement, ensuite le cou et toutes les sensations qu'il peut éprouver.

Terminez avec la tête: concentrez-vous tour à tour sur toutes les parties de la tête afin de percevoir pleinement toutes les sensations qu'elle ressent, le menton, la bouche, les lèvres, le nez, les joues, les yeux, roulez-les de bas en haut, le plus loin possible à l'intérieur, une grande détente s'en suivra.

Toujours très détendu, vous sentez que vous pouvez vous abreuver aux sources inépuisables de l'univers qui vous appuiera dans toute action positive. Vous vous concentrez maintenant sur les autres parties de la tête, le front. Concentrez-vous sur le front en dessinant mentalement sa forme et analysez les sensations que vous y ressentez. Puis vous en viendrez au cuir chevelu que vous explorerez mentalement et enfin au cerveau. Pénétrez dans votre cerveau et ne faites qu'un avec lui: vous sentirez la tension diminuer pour finalement disparaître et vous laisser dans un état d'esprit calme et détendu.

Pour terminer cet exercice, soyez conscient simultanément de toutes les parties du corps et sentez que vous ne faites plus qu'un avec lui... longue pause.

Maintenant laissez-vous flotter dans un monde de joie et de plénitude. Vous resterez étendus aussi longtemps que vous le désirez. Lorsque vous ouvrirez les yeux, vous serez frais et dispos, en harmonie avec le moment présent.

10.3.3 Le massage

Il existe plusieurs techniques de massage et chacune peut avoir un sens différent selon le but que nous poursuivons. Le physiothérapeute qui doit redonner à un muscle sa souplesse, pétrira et pressera ce muscle avec

ses mains pour activer la circulation et lui permettre de fonctionner normalement. La mère indienne qui masse son enfant le fera comme moyen
de communiquer avec son enfant. Il le recevra comme un acte de tendresse qui le sécurisera.

Dans notre contexte occidental, le massage pratiqué par des couples
amoureux peut être une extension positive de leur sexualité. Le toucher a
été longtemps considéré comme un mythe. On en avait peur, pourtant il
peut être employé dans le massage comme une technique de guérison.
Cette technique exige de la personne qui le donne une grande ouverture
et une harmonie avec elle-même et avec la personne qui le reçoit. Une
ouverture à l'Énergie Vitale qu'il veut communiquer. Le massage trans-
mettra alors à la personne qui le reçoit un courant de paix et de vitalité
qui lui apportera une grande détente et la rendra réceptive à cette Énergie
Vitale. N'a-t-on pas vu des personnes anxieuses retrouver l'équilibre et la
confiance en elle-même après avoir expérimenté cette technique? L'amour
que la personne transmet par le massage, s'il est un bon canal de cette
Énergie Vitale, suffit à guérir plusieurs maladies.

10.3.4   Le biofedback (ou rétroaction-biologique)

Plusieurs techniques nous orientent aujourd'hui sur les lois psycho-
somatiques qui régissent le développement de notre être et qui sont les
fondements des règles de santé. Le neurologue québécois, le Dr Fernand
Poirier a traité plusieurs jeunes épileptiques par le moyen de ces techniques. Il enseigne à de jeunes adolescents à contrôler les phénomènes
électriques qui président à la crise d'épilipsie. Ces jeunes apprennent à
dialoguer avec leur cerveau. Les cellules de notre cerveau produisent des
variations électriques de très faible voltage et de basse fréquence. Ces rythmes électriques sont au nombre de quatre: *Bêta, Alpha, Théta, Delta.*

Le rythme Alpha est associé à des états psychologiques tels que sé-
rénité, plaisir, perception altérée du temps. Ce rythme est coordonné à
une relaxation physiologique. Il intervient dans le contrôle de la douleur.
L'individu peut, au moyen de cette technique, enregistrer un signal physiologique, l'amplifier, le transformer en un stimulus visuel ou auditif.
Cette technique est en cours d'expérimentation par son efficacité théra-
peutique chez les drogués. Avec cette technique, l'esprit peut arriver à un
niveau de concentration et de création qui permet la libération de l'intuition et de l'imagination. Libération de la peur du moi et créativité. Certaines personnes sont libérées de leurs conflits grâce à ces systèmes de biofeedback (rétroaction-biologique) qu'utilisent des psychothérapeutes. Une
porte est ouverte à de nombreuses recherches dans ce domaine. Ceux qui
sont à l'aise dans les relations humaines et qui savent percevoir intuiti-
vement les réactions d'autrui sont plus ouverts à l'apprentissage des
ondes alpha. Cet apprentissage, s'il débute dès le jeune âge, favorise une
expansion de la conscience: il a un heureux résultat chez les enfants hy-
perkinétiques: il améliore le sommeil et facilite l'étude.

Comment s'opère ce rythme alpha?

Ce rythme alpha semble résulter de décharges synchrones de neurones.

Synchrone: est un mouvement qui se fait dans un même temps

Neurone: est une cellule nerveuse

Les chercheurs de cette technique ont constaté que les sujets qui se *dispersent* sont de médiocres générateurs d'Alpha. Les gros fumeurs ont une activité bêta considérable. Ce rythme alpha s'obtient par la relaxation, le yoga, la méditation: il contribue grandement à l'équilibre mental.

Quand arriverons-nous dans nos milieux de travail à remplacer la pause-café par la pause-alpha?

10.3.5 Le yoga

Cette technique qui nous a été importée des Indes remonte à plusieurs siècles. Elle nous apprend que sans une perception intelligente du corps, on ne peut connaître le monde qui nous entoure. La *respiration* scientifique comprise et systématiquement employée dans ses divers modes, devient souffle conscient, individualisé: la circulation sanguine s'en trouve régularisée, et il s'ensuit une véritable résurrection de l'être. Une circulation parfaite de tous les fluides et sucs vitaux étant normalement établie jusqu'aux moindres vaisseaux capillaires et aux cellules nerveuses et cérébrales permet un bon équilibre mental. Les exercices quotidiens de respiration et surtout d'expiration complètes sont des facteurs très importants pour la revitalisation de tout l'être. Cet exercice prépare bien à la méditation.

10.3.6 La méditation

Dans les années 60, les adhérents occidentaux à la méditation étaient en majorité des étudiants, des artistes et d'autres individus que le système établi ne prenait pas trop "au sérieux". Le gros impact de la méditation est venu après la découverte du biofeedback (rétroaction biologique).

Des scientifiques japonais ont démontré par l'électroencéphalogramme les *tracés altérés de l'activité électrique* en cours de méditation. L'activité des rythmes lents du cerveau reflète une activité élargie des neurones dans la totalité du cerveau. La voie de la réussite de ce rythme nous invite à la passivité non à la l'activité lorsqu'il est employé dans la méditation et dans la relaxation autogène.

Qu'est ce que la méditation?

C'est une communication avec son moi intérieur. Cette pratique nous aide à faire l'Unité de notre être par le contact avec le Divin en nous. Cette pratique quotidienne favorise l'évolution spirituelle. Abraham Moslow, père du mouvement du potentiel humain, affirme ceci: "Ne pas avoir d'expériences para-religieuses pourrait être un état inférieur, amoindri, un état dans lequel nous ne nous réalisons pas pleinement". Des expériences de transcendance devraient en principe être chose courante.

10.3.7 La prière

L'art médical avestain reconnaissait trois modes de guérison:

1) Par le couteau (chirurgie)
2) Par les connaissances en alimentation et médecine végétale
3) Par la parole: textes rythmés, récités de vive voix, prières, récitations, chants

Ce 3ième mode de guérison par la parole était considéré de beaucoup supérieur aux deux autres. On dit que l'individu qui a atteint un certain degré de développement n'a plus besoin d'autres secours que celui de la parole récitée au rythme du souffle pour se maintenir en bonne santé et faire face à toutes les demandes et problèmes de son existence: les prières récitées avec attention, recueillement et concentration sur le souffle, exercent une action salutaire d'une puissance extraordinaire sur le corps. Les troubles de tous ordres, même mentaux sont apaisés.

10.3.8 La foi qui guérit

La sagesse populaire a reconnu depuis longtemps que l'attitude de la personne malade peut jouer un rôle important pour le mieux ou pour le pire dans l'évolution de sa maladie. Cette phrase "la foi qui guérit" est traduite littéralement d'une conférence ("The faith that Heals") prononcée par un illustre médecin originaire de Montréal, William Osler.

Personne ne peut nier les bénéfices spectaculaires qu'ont retiré certains malades d'un pélerinage, d'un contact avec un guérisseur mystique ou de la présence d'un médecin en qui on a pleine confiance qui ordonne un placebo. Napoléon 1er en a donné un exemple pittoresque dans ses mémoires de Ste-Hélène: il raconte que le célèbre médecin Corvisard donnait à l'impératrice Marie-Louise, chaque fois qu'elle se sentait malade, des boulettes de pain présentées comme une pilule médicinale... et l'impératrice parlait avec enthousiasme de l'effet miraculeux de ce médicament. Il existe donc chez tous les humains des mécanismes naturels de guérison dont le fonctionnement est favorisé par une atmosphère de confiance et une bonne ambiance physique.

Nul ne peut nier l'influence du psychique sur le physique. *L'état mental* influence profondément la sécrétion des hormones en agissant soit sur le métabolisme, soit sur la résistance aux infections.

Le Dr René Dubos, grand biologiste français, donne l'exemple suivant: "Des études récentes ont établi que la multiplication des virus de l'herpes simplex, de la leucémie neurine, de la tumeur mammiaire de la souris, est plus ou moins réglée par la concentration des hormones glucocorticoïdes". Il continue en disant: "Je crois que la médecine scientifique devra repenser le concept "cause de la maladie". Tel qu'on l'applique à l'heure actuelle il y a une étroitesse cartésienne qui ne cadre guère avec la nature des phénomènes pathologiques. Au lieu de "cause", dit-il, il faudra plutôt concevoir des engrenages de réactions positives et négatives avec des possibilités d'intervenir médicalement à plusieurs points du système. Par une voie indirecte, l'étude du phénomène connu sous le nom de Natura vis médicatrix conduira certainement à une meilleure compréhension des forces qui agissent sur la santé et aidera la médecine de l'avenir à créer une ambiance physique et mentale plus favorable à l'évolution créatrice de l'humanité''.

10.4 QUESTIONNAIRE

1. Sur quelle base repose l'hygiène?

2. Quelles sont les différentes étapes de la vie?

3. En quoi consiste cette crise de sénescence?

4. a) Énumérez quelques facteurs de nuisance à la santé?
   b) Pourquoi ont-ils cette dénomination?

5. a) Qu'est-ce qu'un facteur de vitalisation?
   b) Lesquels de ces facteurs vous rejoignent tout particulièrement?

6. a) Savez-vous vous relaxer?
   b) Cette méthode de relaxation est-elle bénéfique pour vous?

7. a) Qu'est-ce que l'équilibre mental?
   b) Comment se manifeste-t-il?

8. Croyez-vous à la foi qui guérit?

ÉVOLUER DANS LE "NURSING" CONTEMPORAIN

Dans cette troisième partie, nous aurons comme objectif:

Évoluer dans le nursing contemporain

PRINCIPES DE CETTE ÉVOLUTION:

Chapitre 11

L'apprentissage en nursing

L'infirmier(ère) occupe une place importante dans l'attribution des soins. Sa formation est exigeante et continue. Sa profession lui demande, si elle veut se mettre à l'abri de l'automatisme et de la routine, de bien intégrer sa notion de *l'apprentissage*.

Chapitre 12

L'historique du nursing

La science infirmière date des temps préhistoriques. Dès qu'il y eut des humains, il y eut des troubles de santé, des blessés et des malades. L'évolution du nursing jusqu'à nos jours est éclairant pour la route qu'il reste à poursuivre.

Chapitre 13

Un nursing dynamique

L'infirmier (ère) pour entrer dans ce nursing dynamique se doit d'être lui (elle)-même tout en développant l'image personnelle et professionnelle qui répond aux attentes du client et de la société.

Chapitre 14

Un nursing humain

L'infirmier (ère) est une personne humaine au service de la santé. Son objectif général sera donc de comprendre l'importance de rejoindre chaque client dans la totalité de son être.

Chapitre 15

Un nursing professionnel

L'aspect professionnel du nursing invite l'infirmier (ère) à réfléchir sur son rôle comme professionnel de la santé pour mieux répondre aux besoins de la population par l'étude des concepts et des principes qui font partie intégrante de l'exercice de sa profession.

Chapitre 16

Un nursing à portée scientifique

Un nursing à portée scientifique permet à l'infirmier (ère) d'intégrer les découvertes contemporaines sur la pathologie et physiologie humaine, les sciences du comportement dans la pratique du nursing.

Chapitre 17

Un nursing à prospectives d'avenir

La profession infirmier (ère) s'oriente de plus en plus aujourd'hui vers la communauté afin de se centrer davantage sur la prévention des maladies et l'enseignement aux individus de bonnes habitudes de vie en vue d'améliorer leur santé et jouir pleinement de la vie.

CHAPITRE ONZIÈME

11.0 L'apprentissage en nursing

11.1 Principaux objectifs d'apprentissage

11.2 Définition de l'apprentissage

11.3 Le rôle du moniteur dans l'apprentissage

11.4 Une formation adéquate

11.0 L'APPRENTISSAGE EN NURSING

Il se produit présentement au Québec d'importantes transformations dans le domaine des soins: toutes les disciplines sanitaires sont impliquées, les techniques infirmières également. L'infirmier (ère) occupe une place importante dans l'organisation et l'attribution des soins.

Il (elle) est pour ainsi dire l'*axe central*. Pourquoi?

- Parce qu'il (elle) approche et soigne le malade dans sa totalité.

- Parce qu'il (elle) assure une présence constante d'où continuité des soins.

Sa formation est exigeante et continue. Sa profession lui demande si il (elle) veut se mettre à l'abri de l'automatisme et de la routine de bien intégrer sa notion de l'*apprentissage*.

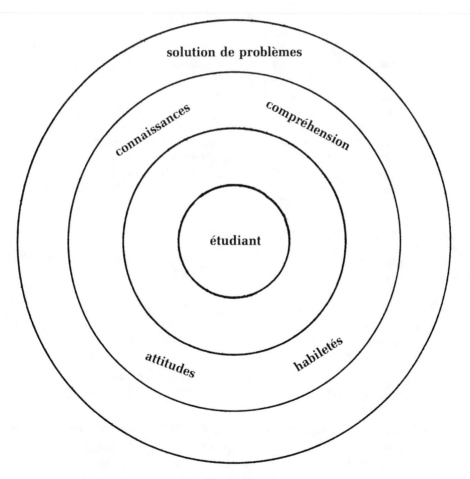

Figure 11.1

11.1 PRINCIPAUX OBJECTIFS D'APPRENTISSAGE EN NURSING

L'infirmier (ère) aura les objectifs généraux suivants:

1. Connaître les concepts et les théories qui se rattachent à l'exercice actuel de sa profession et de son évolution.
2. Comprendre la signification du concept "nursing" et les concepts sous-jacents nécessaires à l'action nursing.
3. Connaître les concepts et les théories nécessaires à une approche scientifique et humaniste du nursing.
4. Approfondir les nouvelles tendances suscitées par l'évolution du nursing.
5. Faciliter l'application des principes scientifiques nécessaires dans l'exercice de sa profession.
6. Connaître les étapes nécessaires à la démarche du nursing.
7. Connaître les responsabilités qui découlent des actes posés dans l'exercice de la profession.
8. Développer l'habileté nécessaire au travail de recherche et se préparer à supporter les efforts dans ce sens pour l'évolution du nursing.
9. Comprendre l'importance de l'évolution personnelle pour le développement d'un concept individuel des soins.
10. Connaître le modèle de personnalité auquel se réfère notre action en nursing.
11. Connaître les théories de personnalité qui orientent le mieux vers la connaissance et la compréhension du client afin de mieux répondre à ses besoins personnels.
12. Comprendre l'importance de son développement culturel afin de mieux répondre aux besoins des personnes de toute culture.

11.2 DÉFINITION DE L'APPRENTISSAGE

L'apprentissage est un processus psychologique par lequel s'établit chez celui qui s'éduque la rencontre entre ses besoins et ses objectifs.

Il est présenté par certains auteurs comme un phénomène de croissance et de changement intérieur vécu et éprouvé par la personne, impliquant les ressources internes et son interaction avec un environnement favorable.

L'*apprentissage* exprime le besoin profond en chaque personne de s'actualiser, de réaliser une partie toujours plus grande des possibilités illimitées qui sont en elle.

L'*apprentissage* rejoint les divers plans de l'épanouissement humain:

1. le *savoir:* (connaissances théoriques, idées et hypothèses);
2. le *savoir-faire:* (connaissances techniques, habiletés);
3. le *savoir-être:* (perception, comportement, personnalité profonde).

11.2.1   Qui entre dans ce processus d'apprentissage?

La personne est reconnue comme la source et le terme.

Source: parce qu'avec l'aide d'agents facilitateurs, elle aura pris conscience de ses propres besoins.

Terme: parce qu'elle sera mue vers quelque chose qui lui sera apparu comme significatif pour elle, ce qui a une portée sur son comportement.

11.2.2   L'apprentissage authentique

Il est le fruit d'une expérience qui s'intègre dans la vie de la personne, - c'est une *auto-éducation*.

La priorité est accordée à l'initiative de l'individu dans l'opération *enseignant - enseigné*. Cet apprentissage se caractérise:

1. par la mise en oeuvre des forces internes de la personne;
2. par une motivation qui se traduit par un engagement actif de celui qui apprend.

— Dynamisme de la personne

— Motivation intérieure

— Autonomie de celui qui s'éduque.

Toute personne qui s'éduque aura la liberté de décider à tout moment dans quelle mesure et de quelle manière elle entend tirer parti des ressources que lui offre l'environnement.

11.3   LE ROLE DU MONITEUR DANS L'APPRENTISSAGE

C'est un *agent facilitateur* qui propose des expériences à vivre où les participants peuvent prendre conscience de leurs perceptions et de leurs comportements en groupe. Le moniteur aide ensuite à analyser ce qui a été vécu et à le généraliser à d'autres situations.

Pour réaliser un apprentissage efficace l'étudiant(e) peut utiliser la méthodologie suivante:

— Travail de recherche

— Travail de groupe

— Travail individuel

— Séminaire

— Échange de travaux (recherche)

— Audio-visuel

— Interview

— Visite de Centres de Santé

— Enquête

11.4   UNE FORMATION ADÉQUATE

La diversité des malades qui lui sont confiés, l'évolution des techniques infirmières, la responsabilité et les fonctions multiples dans les différents domaines de la société à laquelle il (elle) appartient comme professionnel(le) et comme citoyen(ne) à part entière, doit le (la) rendre apte à assumer pleinement son rôle social et à relever les défis quotidiens que sa profession exige, si sa formation a été adéquate et qu'il (elle) a été en contact avec des professeurs qui croyaient en leur profession.

Malgré toutes les évolutions qui suivront, son "nursing" survivra à condition qu'il soit:

Un nursing dynamique

Un nursing humain

Un nursing professionnel

Un nursing à portée scientifique

Un nursing à prospectives d'avenir

Nous traiterons ces différents aspects aux chapitres suivants.

CHAPITRE DOUZIÈME

12.0 Historique du nursing

12.1 Formation des premières infirmières

12.2 L'infirmière en Amérique

12.3 Les organisations professionnelles

12.4 Formation professionnelle de 1945 à 1970

12.5 La garde-malade auxiliaire

12.6 Les écoles supérieures de sciences infirmières d'expression française dans les universités du Québec

12.0 HISTORIQUE DU NURSING

La science infirmière date des temps préhistoriques puisque dès qu'il y eut des humains, il y eut des malades et des blessés. Les écrits les plus anciens rapportent que la femme, mue par son instinct maternel, se consacra toujours au soin des malades, des infirmes et des blessés. Étant donné l'évolution constante de la médecine et la libération des femmes, celles-ci se sont regroupées et ont formé les diaconesses, première étape de notre profession.

C'est au milieu du 19ième siècle que prit naissance la profession infirmière. En Angleterre, une Anglaise du nom de Florence Nightingale faisait sa marque. Née de parents très riches, elle eut l'opportunité de voyager beaucoup à travers l'Europe, ce qui lui permit de visiter plusieurs hôpitaux, car le soin des malades était pour elle le principal objectif de sa vie.

Elle fut envoyée pour ses premières expériences de directrice des services de nursing, dans des hôpitaux militaires en Crimée où la guerre sévissait. Assistée de ses infirmières, elles soignèrent les blessés, organisèrent un hôpital convenable. Sa renommée fut si importante que plusieurs services eurent recours à sa compétence. Elle reçut de généreuses sommes d'argent pour son oeuvre et elle contribua à la fondation d'une école d'infirmières. D'après Florence Nightingale, ses diplômées étaient toutes assignées à des postes-clé dans les hôpitaux au niveau administratif, éducatif et disciplinaire.

12.1 LA FORMATION DES PREMIÈRES INFIRMIÈRES

Enseignement systématique
— Durée du cours: 1 an
— Les cours étaient donnés par des médecins et des hospitalières
— *Leçons de morale*: 2 fois par semaine

L'étudiante demeurait à l'école. Elle recevait logement, nourriture, blanchissage et uniformes. Son école eut un grand succès à travers le pays et incita à une amélioration des soins du malade dans plusieurs pays.

Florence Nightingale facilita ainsi l'entrée dans la société d'une nouvelle profession à la hauteur de la femme.

12.2 L'INFIRMIÈRE EN AMÉRIQUE

Les premières infirmières arrivées au Québec eurent d'abord la tâche difficile de soigner l'équipage de leur bateau, car les épidémies de choléra, de peste, de variole ainsi que l'avitaminose étaient les fléaux de l'époque. Les premières arrivantes furent des Ursulines. En 1637 Soeur Marie de l'Incarnation fondait l'Hôtel-Dieu de Québec. Arriva ensuite Jeanne Mance, en 1641, femme célibataire. Elle fonda l'Hôtel-Dieu de Ville Marie, devenu Montréal, et cet hôpital fut le seul à prodiguer des soins aux malades de 1642 à 1822.

L'école des infirmières de l'Hôtel Dieu fut fondée en 1904. Le Dr. Michel Ahern proposa le cours de trois ans. Au début, cette école n'était que pour les religieuses Augustines. Elle ouvrit ensuite ses portes à d'autres communautés. Cette école accepta des jeunes filles laïques en 1950 seulement.

De 1760 à 1890 les jeunes canadiens désireux d'apprendre la médecine devaient faire quatre ou cinq ans d'apprentissage auprès d'un médecin qualifié et solliciter un brevet de pratique du Gouverneur général. Les gens des campagnes avaient recours aux guérisseurs et aux rebouteurs.

En 1852, l'école de Médecine de Québec forma la faculté de médecine de l'Université Laval de Québec.

En Amérique les hôpitaux se multiplièrent. La première école d'infirmières au Canada fut celle de Mach School of St. Catharines, Ontario. La première au Québec fut celle du Montreal General Hospital. La première infirmière à prendre en charge l'enseignement aux étudiantes infirmières fut Nora Levingston, qui était diplômée du New York Hospital. L'école de Mlle Levingstone donna le ton à toutes les écoles qui suivirent. Elle obligea la première les infirmières à mettre par écrit les observations qu'elles avaient faites pendant leur travail et à transcrire les traitements donnés aux malades.

12.3 LES ORGANISATIONS PROFESSIONNELLES

Pour élever le niveau de la profession, Florence Nightingale fait appel à des femmes instruites et idéalistes qui, une fois diplômées, sauraient faire valoir leur formation par opposition à celles connues sous le nom de "nurse" qui n'avaient reçu aucune formation.

Pour protéger l'infirmière et le public, Mme Fenwicks souhaitait que l'Etat reconnaisse officiellement la profession infirmière et détermine par l'établissement de statuts et règlements les normes de qualifications des infirmières. Grâce aux efforts de Mme Fenwicks, l'association nationale des infirmières se forma.

Lors d'un congrès international de la femme en 1899, l'association internationale des infirmières de Grande-Bretagne et d'Irlande se formait malgré bien des oppositions. Le conseil était composé d'une anglaise, Mme Fenwicks, d'une américaine, Mlle Dack, et d'une canadienne, Mlle Saively. Six pays y participaient: Royaumes-Unis (Angleterre), États-Unis, Canada, Nouvelle-Zélande, Australie, Danemark. Les buts à atteindre du C.I.I. étaient:

1) Mettre en relation les infirmières du monde entier

2) Élever toujours plus haut le niveau de la formation technique, de la morale professionnelle, et de l'utilité de ses membres en développant leur esprit civique

3) Permettre aux infirmières de tous les pays de discuter entre elles les questions relatives au bien-être du malade et de la profession.

ASSOCIATION CANADIENNE DES INFIRMIÈRES

Ce fut la fondation du Conseil International des Infirmières qui déclencha l'établissement de l'association nationale d'infirmières au Canada. En 1908, elle portait le nom de "Canadian National Association of Trained Nurses". Ce fut Mme Snaively qui fonda la première association ontarienne. En 1930, chaque province du Canada avait son association et chaque membre d'une association provinciale devient membre de l'Association des infirmières canadiennes.

En 1947, l'Association des infirmières canadiennes fut incorporée par le parlement fédéral. Le but de cette corporation était de mettre en valeur les ressources et les connaissances de ses membres afin d'améliorer la pratique professionnelle.

En 1950, l'association avait trois objectifs:

1) confier la formation des infirmières à des établissements d'éducation plutôt qu'à des hôpitaux;

2) élever le niveau de scolarité exigé, par une formation universitaire;

3) améliorer les conditions de travail et augmenter les salaires afin de satisfaire et conserver le personnel.

Pour prodiguer les soins infirmiers, il fallait dorénavant obtenir une licence accordée par leur corporation professionnnelle et par le fait même, elle procurait des droits à la convention collective.

En 1969, la loi avait modifié le nom de l'association en Association des Infirmières et Infirmiers de la Province de Québec.

— Les infirmiers étaient acceptés.

— L'âge d'admission à la pratique était de 18 ans au lieu de 21 ans.

12.4 LA FORMATION PROFESSIONNELLE DE 1945 À 1970

La seconde guerre mondiale amena une pénurie d'infirmières due au nombre important de celles qui s'enrôlèrent dans le corps médical expéditionnaire. Il fallut alors recourir au gouvernement pour obtenir une subvention suffisante afin de recruter de nouveaux membres et recycler les anciennes infirmières. A cette époque, la publication de manuels français aida à la diffusion scientifique.

Vers 1949, des études furent faites dans le but d'augmenter le nombre d'élèves et d'encourager les étudiantes à poursuivre leurs études jusqu'à la onzième année.

Des revues comme "La Garde-malade canadienne-française" aidèrent à la formation de l'infirmière, ainsi que "Le Bulletin de l'Association des infirmières catholiques" et "L'infirmière canadienne".

Il y eut des changements dans le programme de l'enseignement: des stages en psychiatrie et en hygiène publique furent ajoutés, d'autres stages furent enlevés tels que chez les tuberculeux et les malades contagieux. Les conditions de travail s'améliorèrent. La semaine de quarante heures se généralisa.

En 1967, l'Association présenta un mémoire afin de changer le mode de formation des étudiants et d'intégrer cette formation au système de l')éducation de la province. Après de longues études apparût l'étudiante infirmière au Cegep, l'infirmière que l'on retrouve présentement sur le champ clinique.

Comme cette profession se veut souple pour s'adapter aux changements et poursuivre son évolution, l'avenir apportera sûrement des changements et des améliorations toujours dans le but de rehausser l'efficacité des soins.

12.5 LA GARDE-MALADE AUXILIAIRE

Pour répondre à la grande pénurie d'infirmières dans les hôpitaux, plusieurs écoles de gardes-malades auxiliaires furent organisées. La fondation de la première école au Canada fut ouverte au Québec en 1950 à l'Institut Albert Prévost par Mlle Charlotte Tassé, inf. Ce cours était de deux ans.

Qu'est-ce qu'une garde-malade auxiliaire?

C'est une personne préparée pour le soin complet du malade à son chevet. Elle fait partie de la grande équipe du nursing et travaille en collaboration avec l'infirmière pour assurer aux malades des soins de qualité. Elle est un membre actif et très important de l'équipe hospitalière.

Quels sont les principaux buts de l'auxiliaire?

1) Protéger le public
2) Promouvoir et faire progresser la profession des gardes-malades auxiliaires dans l'application des soins qu'elle a à prodiguer aux malades qui lui sont confiés.

Plusieurs écoles ont été approuvées et reconnues officiellement. En 1954, l'A.I.P.Q. à la demande de l'Association des infirmières canadiennes ainsi que l'Association des infirmières de la province de Québec fondait sa 1ère école d'auxiliaires officiellement reconnue à l'hôpital St-Joseph de la Tuque. La durée du cours était de 18 mois. La première école anglaise fut fondée en 1959 au Sherbrooke Hospital.

L'A.I.P.Q. a formé un comité d'écoles d'auxiliaires en nursing qui voit à maintenir un même standard dans toutes les écoles et fait préparer les examens par le bureau des examinatrices. Les étudiants qui passent avec succès les examens ont droit à un certificat d'auxiliaire en nursing, lequel permet la réciprocité avec les autres provinces et avec les États-Unis.

Plusieurs polyvalentes offrent actuellement ce cours d'auxiliaire en nursing, dont la durée est de deux ans et qui correspond aux secondaires IV et V.

12.6 LES ÉCOLES SUPÉRIEURES DE SCIENCES INFIRMIÈRES D'EXPRESSION FRANÇAISE DANS LES UNIVERSITÉS DU QUÉBEC

En 1962, la faculté de nursing de l'Université de Montréal est créée pour répondre au voeu d'un comité de la faculté de Médecine. Cette faculté fut chargée par le Conseil des gouverneurs de la préparation d'un projet de centre médical à l'Université de Montréal.

Quels étaient ses buts?

— Contribuer à l'avancement du nursing par l'enseignement et la recherche;
— Fournir à la société des infirmiers et infirmières compétents;
— Préparer sérieusement les infirmiers et infirmières qui formeront les cadres de la profession.

En avril 1965, les autorités de l'Université approuvent un programme conduisant à la maîtrise en nursing et le début du cours est fixé au mois de septembre de la même année. Trois options seront offertes:

— Administration du nursing à l'hôpital
— éducation en nursing
— psychiâtrie et hygiène mentale

Le 1er juin 1967, l'Institut Marguerite d'Youville, École supérieure d'infirmières, est intégré à la faculté de Nursing de l'Université de Montréal. Désormais, les cours au niveau du baccalauréat et de la maîtrise se donneront à l'Université. L'institut Marguerite d'Youville donnait déjà depuis 1961 le cours de base conduisant au baccalauréat et à la licence d'infirmières. La faculté de Nursing a continué ce cours.

Qui fut le premier doyen de cette faculté?

La direction de la faculté de Nursing a été confiée à Mlle Alice Girard, D.H.L. (Toronto) Bs. P.H.N. (Catholic University of America* L.Sc. soc. écon. et pol. (Montréal) M.A. (Columbia), diplômée en administration hospitalière (John Hopkins).

Mlle Girard était nommée en 1965 à Franfort en Allemagne présidente du Conseil international des infirmières.

L'ÉCOLE DES SCIENCES INFIRMIÈRES DE L'UNIVERSITÉ LAVAL

En 1967, le Conseil de l'Université Laval créait l'Ecole des sciences infirmières affiliée à la faculté de Médecine.

Quel était le but de cette école?

Établir et diriger les programmes d'études conduisant aux diplômes universitaires en sciences infirmières.

Qui fut l'initiatrice de cette école?

La directrice fondatrice fut Mlle Claire Gagnon, B.Sc. Inf., M.A. (Columbia University). En septembre 1967 l'école recevait le premier groupe d'étudiants inscrits au programme du baccalauréat en sciences infirmières.

En quoi consiste le programme d'études?

Le programme d'études de l'Ecole des sciences infirmières est centré sur deux groupes de matières: les matières fondamentales et les matières professionnelles.

Les matières fondamentales sont reliées aux sciences biologiques et aux sciences du comportement humain.

Les matières professionnelles portent sur la pratique clinique des soins infirmiers.

Ce programme est organisé de façon à permettre à l'étudiant d'atteindre les objectifs d'un enseignement universitaire de premier cycle, c'est-à-dire:
— l'apprentissage autonome
— la capacité de s'adapter au progrès de la science
— l'évolution de la pratique professionnelle

Son premier but est de préparer une infirmière à assumer la responsabilité totale du plan de soins infirmiers destinés à un individu ou à un groupe, quel que soit le milieu où il se trouve, à domicile, à l'hôpital, dans une clinique, ou tout autre organisme de santé.

Plusieurs écoles se sont ajoutées à celles mentionnées ici dans différentes régions du Québec pour répondre à des besoins accrus et à une clientèle étudiante plus grande.

Plusieurs étudiants y ont reçu leur formation depuis les derniers cinq ans. On peut se demander s'il n'y a pas présentement saturation et si, avec la diminution de la natalité, ces écoles subiront le même sort que de nombreuses écoles primaires et secondaires?

Le développement de la médecine sociale permettra-t-il de se centrer davantage sur le préventif au lieu du curatif facilitant ainsi la création de nouveaux postes de santé ce qui exigerait un personnel plus nombreux et plus compétent?

Composantes du secteur nursing

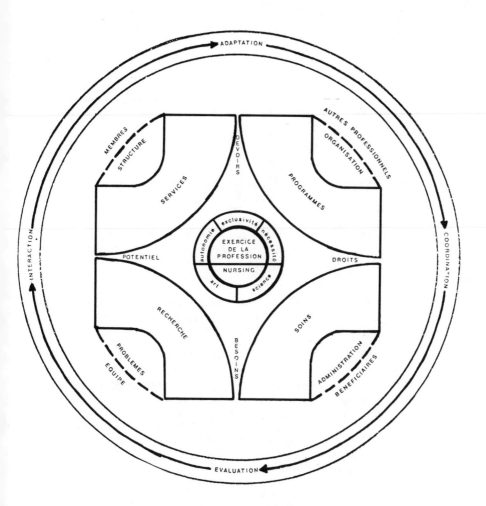

Figure 12.1

CHAPITRE TREIZIÈME

13.0 Un nursing dynamique

13.1 Connaître l'image de soi pour mieux comprendre l'image de l'autre

13.2 Comprendre le comportement du client dans ses réactions comme pouvant être la résultante de son propre comportement

13.3 Accepter son image personnelle pour mieux accepter inconditionnellement l'image du client.

13.4 Présenter une image authentique de lui(elle)-même afin de percevoir son client dans la totalité de ses besoins par une révélation spontanée de lui-même

13.5 Développer la compétence inter-personnelle pour interpréter et évaluer justement le comportement de son client

13.6 Développer sa personnalité pour être présent(e), ouvert(e), disponible et libre pour atteindre le client

13.0 UN NURSING DYNAMIQUE

L'infirmier(ère) pour entrer dans ce nursing dynamique se doit d'être lui(elle)-même tout en développant l'image personnelle et professionnelle qui répond aux attentes du client et de la société. Il(elle) aura comme objectifs:

1) Connaître l'image de soi pour mieux comprendre l'image de l'autre

2) Comprendre le comportement du client dans ses réactions comme pouvant être la résultante de son propre comportement

3) Accepter son image personnelle pour mieux accepter inconditionnellement l'image du client

4) Présenter une image authentique de lui(elle)-même afin de percevoir son client dans la totalité de ses besoins par une révélation spontanée de lui-même

5) Développer la compétence inter-personnelle nécessaire pour interpréter et évaluer justement le comportement de son client

6) Développer sa personnalité pour être présent(e), ouvert(e), disponible et libre pour atteindre le client

13.1 Connaître l'image de soi pour mieux comprendre l'image de l'autre

La connaissance du moi réel de l'infirmier(ère) est essentielle pour assurer une relation d'aide efficace avec son client. Cette authenticité est un aspect d'une personnalité saine qui favorise la spontanéité.

Si un(e) infirmer(ère) est rempli(e) de peur et ne connaît pas son moi réel, il(elle) sera menacé(e) par les dires du malade. Celui(celle) qui se connaît et s'accepte, sera en mesure d'encourager et de favoriser la relation interpersonnelle. Le malade a besoin de se révéler, l'infirmier(ère) sera donc en mesure de deviner ce qu'il expérimente dans une situation donnée s'il(elle) est capable d'être présent(e) et attentif(ive) à son client. Si l'étudiant(e) a pu exprimer ses vraies réactions, ses appréhensions, pendant sa formation et qu'il(elle) a rencontré des professeurs ouverts qui lui ont permis d'être lui (elle)-même, il(elle) sera familier(ère) avec son moi réel et les personnes avec qui il(elle) entrera en contact en bénéficieront. Si au contraire, il(elle) a dû refouler ses vraies réactions et qu'on lui a répété qu'un(e) infirmier(ère) n'agit pas comme cela, il(elle) étouffera son moi réel et il(elle) sera difficilement lui(elle)-même avec les personnes qu'il(elle contactera. Cette attitude empêchera bien souvent le malade d'exprimer ses vrais besoins.

13.2 Comprendre le comportement du client dans ses réactions comme pouvant être la résultante de son propre comportement

"Le concept soin" doit revêtir l'aspect de relation interpersonnelle basée sur la connaissance et la compréhension du comportement humain afin d'aider l'individu de tout âge à rencontrer ses besoins dans une situation donnée. L'individu qui a besoin d'être aidé, soit par des soins, soit par des mécanismes de réadaptation ou par l'enseignement visant à prévenir certains facteurs de déséquilibre, a aussi besoin qu'on soit présent à toutes les dimensions de sa personne. Il aura besoin d'une capacité d'adaptation qu'il traduira par des comportements. Ils seront peut-être tantôt joyeux, tantôt dépressifs ou tantôt agressifs, selon le degré de tolérance à la douleur soit physique, soit psychologique. Si l'infirmier(ère) sait se mettre à la place de son client et trouve tout naturel qu'il ait telle réaction dans telle circonstance, c'est qu'il(elle) a acquis de la maturité et que rien ne le(la) surprend. Tout est relatif à son état et il(elle) le comprend.

Cette maturité présuppose une forte dose d'autonomie. Cette infirmier(ère) s'appartient. Il(elle) a confiance en elle(lui), il lui est donc possible d'accepter l'autre tel qu'il est et de lui faire totalement confiance.

13.3 Accepter son image personnelle pour mieux accepter inconditionnellement l'image du client

Nous portons en nous une image comme personne, et l'institution a elle aussi une image de nous qui peut être différente de la nôtre.

Qu'est-ce qui entre dans la formation de notre image?

Ce sont nos expériences, nos connaissances et notre système de valeur. Il y a souvent confrontation entre l'image que nous nous faisons de nous et celle que l'institution se fait de nous. L'acceptation de soi suppose qu'on reconnaisse sa propre image et qu'on l'aime, sinon il nous est impossible d'aimer l'autre et de l'accepter. Si l'aidant accepte de se reconnaître tel qu'il est, qu'il assume ses limites comme quelque chose de positif, il assume alors ses difficultés comme des expériences enrichissantes, en prenant conscience de ce qu'il est, grâce à une confrontation incessante avec ce qu'il n'est pas. Il réalise alors l'importance de fermer les yeux sur certaines choses, et le devoir de les ouvrir à de nouvelles perceptions qu'il ne voulait pas voir. Il s'ensuit que cette acceptation réelle et intégrale de soi-même signifie l'acceptation du client tel qu'il est.

Quelle importance de se situer sur son image réelle afin de faire l'intégration de toutes ses puissances vitales du moi idéal au moi réel et du moi social au moi intérieur!

13.4 Présenter une image authentique de lui(elle)-même afin de percevoir son client dans la totalité de ses besoins par une révélation spontanée de lui-même

Toute relation humaine est une collaboration mutuelle à une humanisation. La première condition c'est qu'elle soit *vraie*. Cette peur de la douleur, du cancer, de la mort prend souvent des dimensions imprévisibles. Le client ressent fortement ce besoin de communiquer en raison de ce sentiment d'isolement et de peur qui le domine. L'infirmier(ère) qui est attentif(ive) à ses besoins présentera cette oreille attentive qui permettra à son client de se dire. Nos relations avec autrui qui permettra à son client de se dire. Nos relations avec autrui sont authentiques lorsque nous laissons tomber les barrières protectrices que nous édifions autour de nous. Il y a alors une liberté d'esprit, une disponibilité, une attention. Nous ne sommes pas prisonniers de nos structures psychologiques qui nous empêchent d'accueillir l'autre.

13.5 Développer la compétence interpersonnelle pour interpréter et évaluer justement le comportement de son client

Cette compétence interpersonnelle se traduira au niveau de l'*accueil*. Je ne puis me permettre de le juger car je cesserais de l'accueillir, mais je dois avoir cette perspicacité qui m'aide à découvrir le pourquoi de tel comportement, dans telle situation.

Qu'entend-on ici par comportement?

Le comportement est une dimension essentielle de l'être humain. Il n'y a pas de personne humaine sans comportement. Dès qu'un être humain existe, il se manifeste à travers cette zone périphérique de la personne qui peut s'observer de l'extérieur. Il ne peut être interprété qu'à partir de l'univers intérieur de la personne, car les paroles, les gestes et les actes dépasseront souvent les intentions de la personne qui les prononcent ou les posent.

Si l'infirmier(ère) est lui(elle)-même, il(elle) permettra à son client d'être lui-même à son tour et au lieu de projeter sur son client ses propres sentiments dans tel comportement, Il(elle) fera un effort d'objectivité pour comprendre ce qu'il vit et ce que traduisent vraiment ces gestes, paroles ou actes.

13.6 Développer sa personnalité pour être présent(e), ouvert(e), disponible et libre pour atteindre le client

Accepter totalement autrui et pourtant être totalement soi-même, c'est le *paradoxe de la communication.*

Ce que nous espérons et craignons des autres n'est pas chez eux, mais en nous-mêmes. Ne mettons-nous pas souvent sur autrui un visage qui est fait de nos propres grimaces?

L'infirmier(ère) a besoin d'être sûr(e) de lui(elle) pour être suffisamment sûr(e) de son client. Cette confiance en lui(elle) lui assure la confiance de toute personne avec laquelle il (elle) entre en relation. C'est par nos relations avec autrui et un autrui toujours plus différent que nous pouvons entrer en communication authentique avec la pluralité de ce que nous sommes.

Pour avoir cette ouverture et cette disponibilité, il faut avoir établi au dedans de soi-même une frontière consciente entre son être et ses avoirs. Les avoirs sont des sortes de membres qui nous donnent une emprise sur ceux que nous rencontrons. Beaucoup d'hommes croient avoir rencontré autrui et ils n'ont fait que comparer leurs avoirs. Nous atteignons très peu les gens parce que nos rencontres sont diminuées par des règles conventionnelles qui les

Je me sens bien quand tu prends soin de moi.

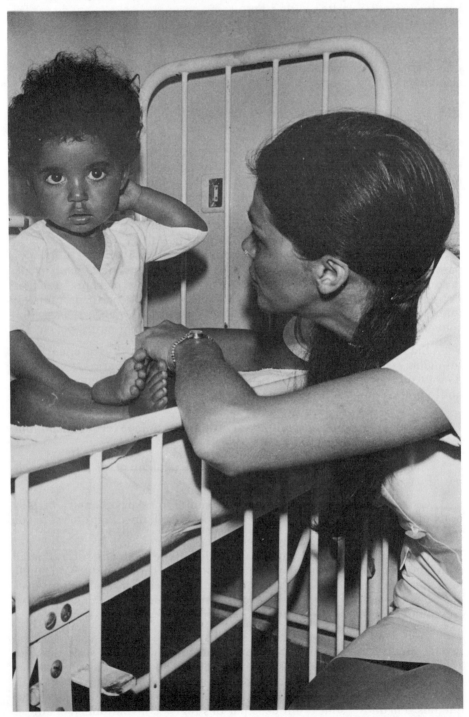

rendent inoffensives. Quelquefois, une question essentielle se trouve posée et nous nous empressons d'y mettre fin, et nous regrettons déjà l'indiscrétion du mot prononcé. Près de combien de personnes aurons-nous passé croyant ne rien pouvoir pour elles et n'espérant rien d'elles, parce qu'on était trop proche de soi-même? Alors on reste impuissant pour aimer. Nous repoussons les autres à coup de jugements de catégorisations; nous craignons de perdre notre suffisance, et au fond nous sommes pas assez sûrs de nous-mêmes pour pouvoir croire en autrui.

Comment faire pour que mes relations humaines en nursing deviennent un terrain privilégié de réflexion et d'expérimentation?

Nous pouvons nous baser sur ce modèle descriptif de la maturité humaine (figure 13.1).

MODÈLE DESCRIPTIF DE LA MATURITÉ HUMAINE

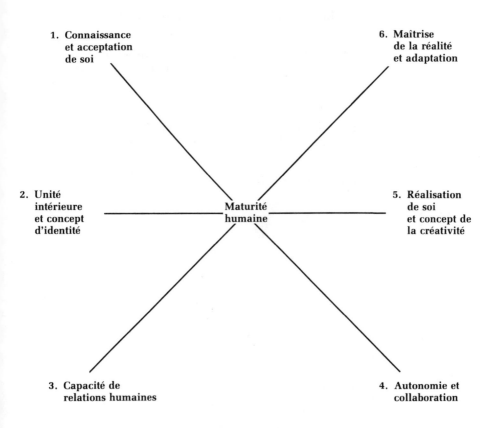

Figure 13.1

CHAPITRE QUATORZIÈME

14.0 UN NURSING HUMAIN

L'infirmier(ère) est une personne humaine au service de la santé. Son objectif général sera donc de comprendre *l'importance de rejoindre chaque client dans la totalité de son être*. Ses objectifs seront les suivants:

1) Établir une relation authentique
2) Conscientiser chacune de ses actions
3) Respecter les différences individuelles
4) Développer dans les soins prodigués une qualité de relation d'aide qui facilite le rétablissement du client
5) Percevoir l'impact des réactions client-infirmier(ère) dès la première approche.

14.1 ÉTABLIR UNE RELATION AUTHENTIQUE

La maladie étant une réalité humaine à laquelle bien peu de personnes peuvent échapper, nous sommes confrontés à toute la gamme d'insécurités qu'elle entraîne avec elle. Il est donc important pour bien traiter son client, de mieux le connaître. Si la maladie rompt cet équilibre de sécurité, il est quelquefois difficile de distinguer ce qui appartient au traumatisme psychique et à la maladie elle-même. La maladie prend donc chez chaque malade qu'elle affecte, un masque individuel. Nous traitons donc des personnes affligées d'une maladie et non des maladies affligeant des personnes. Ne sommes-nous pas confrontés à la déshumanisation de la médecine hospitalière où le malade tend à devenir un numéro entre les mains de divers techniciens? Le malade se sent souvent emprisonné par ces techniques dont la routine nous paraît très simple à nous, les habitués, et voit passer devant lui un personnel fantôme qui se succède souvent à un rythme accéléré. Pour rétablir l'équilibre, le malade a besoin de compter sur le personnel médical et infirmier; il a besoin de trouver chez l'équipe soignante la chaleur qui réconforte, l'espoir qui maintient, la présence qui soulage, le sourire qui apaise. Pour établir cette relation authentique, l'infirmier(ère) doit apprendre à connaître son malade. C'est une expérience de tous les instants. Son rôle est d'écouter et de réconforter avant tout.

Comment peut-il(elle) avoir cette authenticité dans la communication?

1. Il ne doit pas exister de signe de divergence entre ce qu'il(elle) sent et pense et ce qu'il(elle) dit (congruence).
2. L'aidant doit être librement et profondément lui-même.

Qu'est-ce que l'authenticité?

C'est la correspondance exacte entre ce que l'aidant sent et pense intérieurement et ce qu'il communique à son aidé. Ce qu'il communique à son aidé doit correspondre à un contenu intérieur. Ex.: un père qui dit à son fils, j'ai bien confiance en toi mais je te défends de fréquenter cette jeune fille. La peur de l'autre et de nous-mêmes est un des obstacles à l'authenticité.

Il existe différents niveaux de communication qui nuisent à l'authenticité:

a) On ne parle que de vagues généralités
b) On traite les sujets d'une façon abstraite
c) On permet quelquefois à la deuxième personne de discuter de sujets personnels
d) On aide à explorer tous les sujets qui intéressent la deuxième personne
e) L'aidant aide toujours à orienter l'échange.

14.2 CONSCIENTISER CHACUNE DE SES ACTIONS

Le plan de soins est un instrument précieux qui aide l'infirmier(ère) à approfondir non seulement le comment, mais aussi le pourquoi de chaque geste posé, de chaque action nursing.

Pour atteindre ses objectifs de soins en présence d'un malade particulier, il est important que l'infirmier(ère) choisisse les interventions appropriées et établisse son plan d'action.

Comment le fera-t-il(elle)?

Il(elle aura soin de faire la "cueillette des données", c'est-à-dire recueillir le plus de renseignements possibles sur la personne du client; le plus petit détail a son importance.

— Qu'est-il arrivé au client?
— Quel a été le diagnostic posé par le médecin?
— Quel traitement a-t-il prescrit?
— Quelle est l'attitude du client devant sa maladie?
— Quelles sont les conditions de vie du malade sur le plan socio-économique?
— Quelles sont les répercussions de la maladie sur l'avenir du client?
— Quelles sont les relations du client avec sa famille?

La réponse à ces questions permet d'identifier certains besoins du client. Quelle que soit l'école de pensée qui inspire nos actions, on retrouve toujours trois éléments communs:

1. Le client et ses besoins
2. L'infirmier(ère)

3. Les interventions *dictées* par les soins infirmiers

    Quelles sont les parties essentielles du plan de soins?

1. Les problèmes que présente le client et qui sont en fonction d'un besoin perturbé.
2. Les objectifs à atteindre avec le client.
3. Les interventions choisies pour répondre aux besoins du client.
4. L'évaluation des objectifs et des interventions. Étaient-elles les plus aptes à répondre aux besoins du client?
5. Justification: le pourquoi scientifique de cette action ou intervention.

1. Qu'est-ce que le problème?

Il réside dans cette difficulté qu'il faut résoudre.

Exemple: Un client souffre de détresse respiratoire. Son besoin de respirer normalement est perturbé. Que fera l'infirmier(ère)?

2. Elle se fixera des objectifs pour faciliter la respiration du malade.

Qu'est-ce qu'un objectif?

C'est un but à atteindre.

Après avoir établi le problème, s'être fixé un objectif d'action, il(elle) procède alors à:

3. L'intervention ou action nursing.

Qu'est-ce que l'intervention?

Par intervention ou action, il faut entendre tous les moyens dont l'infirmier(ère) dispose pour soigner le client. Les uns seront délégués par le médecin, les autres seront des initiatives suggérées par les connaissances propres de l'infirmier(ère).

Exemple: La position à donner dans ce cas de détresse respiratoire.

4. Est-il important d'évaluer ses objectifs fixés et ses interventions nursing?

L'infirmier(ère) aura à se poser cette question dans son évaluation. Est-ce que mes objectifs et les interventions choisies étaient les plus aptes à répondre aux besoins du malade?

Le client lui-même n'est pas étranger à l'élaboration de ses objectifs et interventions de soins.

Ce plan de soins sera efficace en autant qu'il sera préparé pour lui et avec lui.

5. La justification.

Pour développer cet esprit de recherche scientifique, l'infirmier(ère) ajoute un nouvel élément à son plan de soins. Il(elle) n'en reste pas seulement à l'évaluation mais est capable de justifier son intervention.

Exemple: Dans ce cas de détresse respiratoire, si il(elle) doit administrer à son client des aérosols, il(elle) connaîtra l'effet de ce traitement sur le système respiratoire de son client.

Ce plan de soins aura sa pleine valeur s'il est fondé sur le respect de la personne, sur des connaissances scientifiques et le bon jugement de l'infirmier(ère).

14.3 RESPECTER LES DIFFÉRENCES INDIVIDUELLES

Le malade demeure une personne qui conserve sa secrète altérité. Il a besoin d'être totalement reconnu pour ce qu'il est et demeure toujours impressionné lorsqu'il rencontre chez celui qui le soigne: le tact, la courtoisie et la bonne humeur.

Qu'est-ce que le tact?

C'est une sorte d'intuition qui fait deviner les besoins de la personne qui souffre et qui permet d'appliquer discrètement le remède. C'est aussi une sorte d'instinct qui éclaire sur ce qu'il y a à *dire* et à *taire* pour que le client se sente bien en notre compagnie. Ce tact invite à la pondération. Il faut éviter de parler de complications, de la crainte que l'état de ce client inspire. Il a besoin d'une attitude positive et rassurante de la part de ceux qui le soignent. Une autre qualité qui s'ajoute au tact est la courtoisie.

Qu'est-ce que la courtoisie?

C'est le résultat du respect de soi-même et des autres. C'est une attitude qui invite à la simplicité et à la spontanéité. L'infirmier(ère) ne traitera pas son client par le numéro de sa chambre mais comme personne en qui il(elle) concentre son intérêt. Pour posséder ce tact et cette courtoisie, il est indispensable d'être joyeux, de bonne humeur.

Qu'est-ce que la bonne humeur?

Cette attitude est la qualité d'un agent de santé qui s'habitue à voir le beau côté dans chaque événement, chaque chose qui se présente.

C'est un optimisme qui traduit la confiance en soi-même et en l'autre. Ce reflet joyeux et réconfortant n'aide-t-il pas autant le malade que tous les traitements qu'on lui donne?

Le secret de cette bonne humeur demande de ne pas être à la merci des impressions, temps, température, répugnances, etc.

La bonne humeur crée avec chaque personne que nous rencontrons un courant de sympathie qui permettra à celui qui est malade de supporter mieux sa maladie.

Exemple: Un malade atteint de tuberculose des os était hospitalisé depuis plusieurs semaines. Il était amer, de mauvaise humeur. Plusieurs infirmiers(ères) avaient été à son chevet; on lui avait donné les soins qu'il nécessitait, mais personne ne s'était vraiment préoccupé de le comprendre jusqu'au jour où il rencontra la personne qui fut vraiment présente à tout son être bio-psycho-socio-spirituel.

Cette infirmière lui fit plus de bien que toutes les médecines qu'il recevait. La bonne humeur de son infirmière l'aida à trouver un côté positif à son hospitalisation.

Pour établir le contact, percevoir l'autre tel qu'il est, il est important de l'*accueillir*.

Qu'est-ce qu'accueillir l'autre?

Accueillir l'autre c'est faire le vide de soi-même et accepter que l'autre prenne toute la place. Le malade a besoin d'une oreille attentive qui l'écoute. Cette capacité d'écoute de la part de celui qui le soigne lui apportera chaleur, compréhension. Il se sentira aimé et il guérira plus vite.

14.4 DÉVELOPPER DANS LES SOINS PRODIGUÉS UNE QUALITÉ DE RELATION D'AIDE QUI FACILITE LE RÉTABLISSEMENT DU CLIENT

La souffrance connaît une infinité de nuances, de comportements, de degrés d'intensité. On ne peut doser la souffrance: elle demeure subjective et elle est soumise à des réactions et des attitudes subjectives.

Souvent pour un grand nombre de malades, la parole est un remède plus efficace que bien des drogues. Nous avons pu constater une aggravation de la maladie à la suite de paroles désobligeantes, d'indiscrétion, de commentaires sur le dossier qui, au lieu de favoriser le rétablissement, ne font qu'augmenter l'anxiété. Chaque visite auprès du malade, chaque bout de phrase, chaque geste a son importance.

C'est ici qu'intervient le secret professionnel. Pour une grande majorité des gens, le but du secret professionnel c'est d'abord la protection de l'intimité du client. Ce dernier compte sur la discrétion non seulement de son médecin, mais de tous ceux qui le soignent. Ex.: Un malade est atteint de syphilis. Il n'est pas bien aise que sa maladie soit dévoilée à tout venant. La discrétion inhérente à la profession d'infirmier(ère) relève des mêmes règles morales que celles du médecin. Lorsque l'infirmier(ère) prête son serment d'allégeance à son Ordre, il(elle) prononce un serment qui l'implique professionnellement envers les personnes qui seront confiées à ses soins. Voici un exemple de serment professionnel que prononce un groupe d'infirmiers(ères) dans un collège de la Province:

Je bois mon lait comme il me plaît

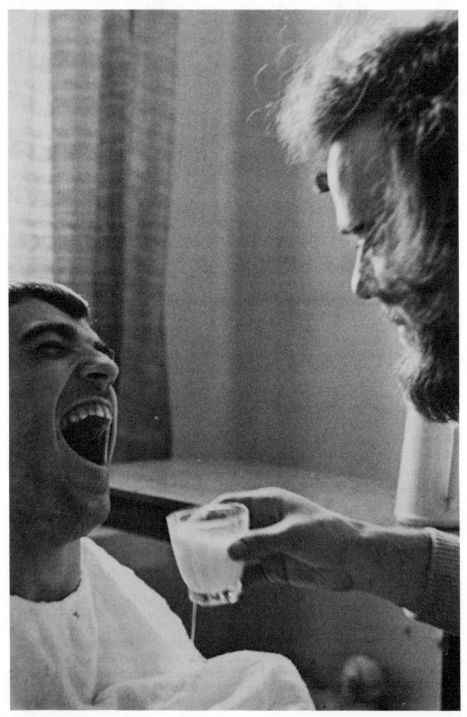

SERMENT PROFESSIONNEL

"En pleine connaissance des obligations que j'accepte, je promets devant Dieu et en présence de cette assemblée, d'apporter mes soins aux malades avec toute l'habileté et la compréhension que je possède, sans distinction de race, de croyance, de couleur et d'appartenance politique ou sociale, ne négligeant aucun effort susceptible de préserver la vie, d'alléger les souffrances des malades ou de les aider à recouvrer la santé."

"Je respecterai, en toutes circonstances, la dignité et les croyances religieuses des patients confiés à mes soins, gardant le secret de toutes les confidences personnelles qui pourront m'être faites et me gardant de me livrer à tout acte qui puisse mettre en danger la vie ou la santé de mes malades."

"Je m'efforcerai de maintenir mes connaissances professionnelles au niveau le plus élevé et prêterai appui loyal et aide à tous les membres de l'équipe de santé."

"Je ferai tout ce qui sera en mon pouvoir pour faire honneur au code de déontologie de l'infirmière et préserver l'intégrité à laquelle se doit toute infirmière."

"QUE DIEU ME SOIT EN AIDE!"

Ce serment incite l'infirmier(ère) à développer une capacité de communication qui facilitera sa relation d'aide avec le client.

14.4.1 La relation d'aide en nursing

Tout être humain qui entre en contact de façon significative avec un autre, possède le redoutable pouvoir de produire une amélioration ou une détérioration chez cet autre. Si cet autre est un malade, la situation sera plus délicate, car la maladie le rend très sensible et la relation sera de favoriser chez lui l'ouverture et la confiance.

L'élément aidant de cette relation sera bien plus la *personnalité de l'infirmier(ère)* que toutes les techniques qu'il(elle) a pu acquérir. Les comportements externes de l'infirmier(ère) devront traduire et exprimer les traits d'une personne accueillante. L'aidant doit être engagé dans un processus constant d'épanouissement et d'actualisation de son potentiel humain. Il doit être capable de démontrer que s'il était placé dans les mêmes conditions que son aidé, il s'en tirerait d'une manière plus constructive que ce dernier. *Le terme aider*, désigne une intervention en faveur d'une personne dans laquelle l'aidant joint ses efforts à ceux de cette personne. *L'aidant*, ne joue qu'un rôle d'assistance subordonnée à l'action

principale dont l'agent demeure toujours l'aidé. S'il désire aider efficacement, il ne reculera donc devant aucun moyen qui soit de nature à permettre l'atteinte des objectifs que son aidé, en collaboration avec lui, se
sera fixé.

Idéalement, ce sont toutes les relations de l'aidant qui seront des relations aidantes où il tentera toujours de créer les conditions favorables à
l'accroissement de la liberté de ses interlocuteurs, liberté surgissant de sa
propre libération toujours plus approfondie. C'est l'étoffe même de la vie
libérée de l'aidant. Nous sommes ce que nos expériences antérieures nous
ont faits. Nous expérimentons donc la réalité de façon essentiellement
subjective et nous sommes portés à attribuer à ses perceptions subjectives
une valeur absolue. La manière dont quelqu'un se perçoit lui-même influence grandement la manière dont il perçoit l'environnement et la manière dont il entre en contact avec l'autre.

Si nous avons une image négative de soi, nous percevons la réalité
de façon négative et nous minimiserons les messages positifs et nous les
rejetterons. Ils seront perçus comme des attaques à la constitution de notre
moi négatif. Tant qu'un aidant se complaît à l'intérieur de sa propre perception érigée en absolu, tant qu'il ne fait pas l'effort conscient de mettre
entre parenthèse sa manière de voir les choses, sans pour autant en nier la
valeur pour lui, tant qu'il ne réussit pas à sortir de lui-même pour aller
voir les choses à travers les yeux de son interlocuteur, on ne peut pas dire
qu'il comprend empathiquement ce dernier. Le jugement est donc une activité interdite aux humains parce qu'il est ridicule. Pour pouvoir juger, il
faudrait connaître complètement l'autre personne dans ses motivations les
plus secrètes. Quand nous jugeons, il y a deux choses que nous pouvons
nous dire avec certitude:

1. Que nous nous trompons
2. Que nous adoptons une attitude qui est nuisible pour notre aidé

Comment envisageons-nous la relation d'aide en milieu hospitalier?

Pour beaucoup de malades, leur séjour en milieu hospitalier est une
prise de conscience parfois brutale de leur condition humaine. Le personnel hospitalier favorise souvent une régression par la manière dont il
entre en relation avec le malade.

Exemple: a)   cacher au malade la nature de son état
           b)   le langage infantile utilisé souvent pour communi-
                quer avec lui.

Exemple: bon, nous allons prendre notre petit somnifère et faite
           notre dodo.

Ceci retire au malade sa dignité de personne responsable.

L'aidant en milieu hospitalier sera souvent mis en contact avec des
personnes dont la situation favorise le développement d'attitudes dépen-
dantes. Il ne faut pas céder aux appels de cette dépendance. Le patient
comme le terme l'exprime, favorise souvent cette dépendance. Il est celui

à qui l'on fait des choses. C'est pourquoi on utilise aujourd'hui le mot client au lieu de patient. L'infirmier(ère) est aussi confronté(e) aux problèmes de la mort.

Comment apporter son aide à celui qui va mourir?

Cette dernière crise da la vie peut être l'occasion pour chacun d'une croissance et d'un accomplissement. Quelles que soient les croyances religieuses du mourant, il lui reste la possibilité de mourir avec dignité, dans la lucidité face à lui-même.

Les membres de la famille du défunt ressentent souvent de la culpabilité devant la mort: ils se reprochent de ne pas avoir suffisamment aimé et aidé celui qui les a quittés.

L'aidant les aidera à faire le partage entre une culpabilité réaliste, basée sur des faits contrôlables et une culpabilité névrotique, représentant la réaction à la transgression d'interdits inconscients.

14.5 PERCEVOIR L'IMPACT DES RÉACTIONS CLIENT-INFIRMIER(ÈRE) DÈS LA PREMIÈRE APPROCHE

Chaque individu à un niveau quelconque de la société est un centre d'intérêt, qu'il s'agisse d'un artiste, d'un ouvrier, d'un député, d'un père, d'une mère d'un enfant, etc... Or, brutalement l'accident ou la maladie vient séparer cet être cher du milieu où il s'épanouissait pour le plonger dans un monde, quelquefois, froid, distant, qui semble ligué pour lui faire perdre cette personnalité si essentielle. On lui enlève ses vêtements, on l'immatricule. Il est vraiment coupé de son univers familier, mis en relation avec des inconnus dans un cadre neutre. Si le soignant est bien conscient de cette réalité, il fera en sorte dès le premier contact, d'atténuer ce choc résultant de son passage du monde des bien portants à l'univers des malades, de le réconforter, d'être chaleureux avec lui. Nous touchons ici non seulement le plan physique, mais surtout le plan psychologique.

Le premier contact doit être personnalisé

— Le malade doit savoir à qui il s'adresse
— Le malade doit être appelé par son nom
— Il est bon que le personnel s'occupant de lui connaisse sa situation de famille pour en parler avec lui *s'il le désire.*

Le premier contact doit être chaleureux

Le malade ou la personne qui vient consulter l'infirmier(ère) doit se sentir bien reçu, accueilli. Si le soignant dégage cette chaleur humaine, le malade sera en pleine confiance. Cette attitude suppose une grande maturité qui réside dans la capacité de donner son amour de façon désintéressée. Cette première approche mettra l'infirmier(ère) en situation d'empathie qui lui permettra de saisir les émotions de son client.

14.6 QUESTIONNAIRE

1. Qu'est-ce qu'un nursing humain?

2. Comment pouvez-vous établir une relation authentique?

3. Quels sont les obstacles à l'authenticité?

4. Quel est le principal moyen mis à la disposition de l'infirmier(ère) pour conscientiser chacune de ses actions?
    a) Qu'est-ce qu'une cueillette de données
    b) Un objectif?
    c) Une évaluation?

5. Par quels moyens l'infirmier(ère) peut-il respecter les différences individuelles?

6. Qu'est-ce qu'une relation d'aide?

7. Quelle personnalité l'aidant doit-il avoir?

8. Qu'est-ce qu'aider?

CHAPITRE QUINZIÈME

15.0 Un nursing professionnel

15.1 Exercer son rôle selon l'invitation de la définition de l'acte infirmier

15.2 Appliquer les soins résultants des actes délégués

15.3 Préciser les influences invitant à l'élargissement du rôle de l'infirmier(ère)

15.4 Échanger ou critiquer positivement les rôles nouveaux de la profession

15.5 Assumer les responsabilités découlant de la pratique générale comme des spécialités

15.6 Etre un agent de changement dans son milieu de travail en s'y engageant positivement

15.7 Questionnaire

15.0 UN NURSING PROFESSIONNEL

L'aspect professionnel du nursing invite l'infirmier(ère) à réfléchir sur son rôle comme professionnel de la santé pour mieux répondre aux besoins de la population par l'étude des concepts, des théories et des principes qui font partie intégrante de l'exercice de sa profession.

Il (elle) aura à répondre constamment aux objectifs suivants:

1. Exercer son rôle selon l'invitation de la définition de l'acte infirmier

2. Appliquer les soins découlant des actes délégués

3. Préciser les influences invitant à l'élargissement du rôle de l'infirmier(ère)

4. Échanger ou de critiquer positivement les rôles nouveaux de la profession

5. Assumer les responsabilités découlant de la pratique générale comme des spécialités

6. Etre un agent de changement dans son milieu de travail en s'y engageant positivement

7. Autres...

L'évolution professionnelle du nursing a été un long et laborieux cheminement jusqu'à nos jours. Cette progression a été rendue possible grâce à certains hommes et certaines femmes qui ont consacré leur vie entière aux soins du malade et à la recherche scientifique de la médecine.

Ce rôle professionnel de l'infirmier(ère) l'invite à poursuivre son action au sein de la communauté par une assistance accessible et responsable.

15.1 EXERCER SON ROLE SELON L'INVITATION DE LA DÉFINITION DE L'ACTE INFIRMIER.

Ce rôle professionnel repose sur l'Acte Infirmier(ère) qui se définit comme suit:

"a) Constitue l'exercice de la profession d'infirmière ou d'infirmier, tout acte qui a pour objet d'identifier les besoins de santé des personnes, de contribuer aux méthodes de diagnostic, de prodiguer et de contrôler les soins infirmiers que requièrent la promotion de la santé, la prévention de la maladie, le traitement et la réadaptation, ainsi que le fait de prodiguer des soins selon une ordonnance médicale.

b) L'infirmière et l'infirmier peuvent dans l'exercice de leur profession, renseigner la population sur les problèmes d'ordre sanitaire".[1]

Cette définition tient compte non seulement de l'exercice infirmier actuel, mais aussi des nouvelles voies dans lesquelles il s'engage: la pré-

---

(1) *Résultats finals de l'Etude sur l'Acte Infirmier dans les différents centres de santé de la Province de Québec.* A.I.I.P.Q., Montréal, 1973, p. 6.

vention, les nouveaux champs de spécialisation ainsi que l'enseignement populaire.

L'infirmier(ère) est maintenant autonome dans sa profession et le seul responsable de tous ces gestes.

Il découle aussi des deux recommandations générales découlant de l'étude des actes délégués

"1) Que la délégation des actes s'actualise de façon à préciser le rôle de l'infirmière sans l'orienter dans le domaine médical pour lequel elle n'est pas formée."

"2) Que la délimitation du terrain nursing tienne compte de la préparation scientifique des infirmières."[2]

15.2 APPLIQUER LES SOINS RÉSULTANT DES ACTES DÉLÉGUÉS

Dans une édition spéciale de l'A.I.P.Q. on retient que: "Jusqu'à ces dernières années, l'infirmière en accomplissant des actes médicaux agissait en un champ d'action qui était théoriquement et légalement de la juridiction exclusive et de la compétence du médecin traitant et en conséquence, le fardeau qui incombait à l'infirmière était assimilé à celui auquel le médecin devait faire face. L'infirmière était tenue d'établir en accomplissant l'acte en question avoir agi de la même façon qu'aurait agi un médecin prudent. L'infirmière qui pose un acte médical engage la responsabilité de l'hôpital qui l'emploie.

Si certains actes médicaux sont autorisés par l'établissement qui l'embauche, l'infirmière ne sera pas ennuyée tant qu'il ne se produit pas d'accident. Mais dès qu'un accident se produit, elle est trouvée en faute parce qu'elle a commis l'imprudence d'exécuter un acte médical pour lequel elle ne possède pas la compétence requise. Voici la situation légale de l'infirmière avant la proclamation de la loi 273.

Qu'est-ce que cette loi a apporté de nouveau dans le champ infirmier?

Ce projet de loi est composé de 53 articles et se réfère à l'Ordre des Infirmiers et Infirmières du Québec en ce qui a trait à l'exercice de cette profession.

Cette loi a été promulguée le 1er février 1974.

Cette loi 273

Ce projet de loi a pour objet d'abroger la loi des infirmiers et infirmières de la province de Québec et de la remplacer par une nouvelle loi

---

(2) *Résultats finals de l'Etude sur l'Acte Infirmier dans les différents centres de santé de la Province de Québec.* A.I.I.P.Q., 1973, p. 76.

qui concorde avec les dispositions du bill 250 concernant le code des professions.

Ce projet définit l'exercice de la profession d'infirmière ou d'infirmier comme étant tout acte qui a pour objet d'assumer et de dispenser les soins infirmiers que requièrent la promotion de la santé, la prévention des maladies, le traitement des malades et leur réadaptation.

Qui peut obtenir un permis?

Toute personne qui en fait la demande et qui:
a) est majeure
b) est titulaire d'un diplôme reconnu valide à cette fin par le lieutenant-gouverneur en conseil ou jugé équivalent par le Bureau
c) a satisfait aux exigences des stages d'entraînement professionnel requis par la corporation
d) s'est conformée aux conditions et formalités imposées conformément à la présente loi et aux règlements du Bureau

Le Code des professions ou Bill 250

Le code des professions était déposé devant l'Assemblée nationale en novembre 71. Ce projet a pour but principal d'établir une procédure et des règles disciplinaires qui devront suivre toutes les comparutions professionnelles qui seront soumises au code des professions. Il a également pour but de déterminer un mécanisme identique de vérification de la qualité des actes professionnels posés par leurs membres, de constituer un Office des professions du Québec chargé de maintenir les contacts entre les corporations professionnelles et le gouvernement, et enfin, d'instituer un Conseil interprofessionnel du Québec ayant pour rôle de faire des recommandations à l'Office et au gouvernement.

Chaque corporation a pour principale fonction d'assurer la protection du public. A cette fin elle doit contrôler l'exercice de la profession par ses membres.

Comment est formé le Bureau?

Chaque corporation est administrée par un Bureau formé
a) d'un président
b) de huit administrateurs si la corporation compte moins de 500 membres
c) de 16 administrateurs si elle compte de 500 à 1500 membres
d) de 24 administrateurs si elle compte plus de 1500 membres

Inspection professionnelle et discipline

Un comité d'inspection professionnelle de trois membres est formé au sein de chaque corporation; deux sont nommés par le Bureau.

Quels sont les objectifs de ce comité?

Ce comité:

1) surveille la qualité des actes professionnels posés par les membres
2) procède à la vérification de leurs dossiers, livres, régistres.
3) fait enquête à la demande du Bureau sur la conduite et compétence professionnelle de tout membre; peut porter plainte devant le comité de discipline formé de trois membres au sein de chaque corporation.

Les corporations professionnelles (pouvoirs délégués)

— protection du public et contrôle de l'exercice de la profession
— émission du permis d'exercer
— code de déontologie
— collaboration aux programmes d'études
— procédures d'arbitrage des comptes
— comité d'inspection et de discipline
— définition des spécialités
— formation de comités
— fixation d'honoraires
— élaboration de cours et de stages de formation continue
— élection des administrateurs
— information aux membres

Le gouvernement

— nomination des membres de l'Office des professions
— nomination d'une partie des administrateurs
— approbation des règlements
— droit de regard sur les professions
— reconnaissance de diplômes
— élaboration des programmes d'étude en collaboration
— approbation des tarifs d'honoraires

Il n'est pas facile de déterminer de façon précise la ligne de démarcation entre la pratique médicale et la pratique infirmière.

Il semble actuellement qu'un acte de traitement identique peut se classer comme relevant de la pratique médicale s'il est exécuté par un médecin et de la pratique infirmière s'il est exécuté par une infirmière. Si un malade réagit mal, l'infirmière devient très vulnérable, mais l'assurance responsabilité que possède chaque infirmière pratiquante est une réforme qui lui donne une protection et une reconnaissance de sa compétence pour poser tel geste pour lequel elle a reçu la formation nécessaire.

15.3 PRÉCISER LES INFLUENCES INVITANT À L'ÉLARGISSEMENT DU ROLE DE L'INFIRMIER(ÈRE)

Dans l'enseignement infirmier de base Katharine Lyman indique: "Définir l'objectif général à atteindre revient à déterminer le type d'infirmière à former, la nature et l'importance des tâches auxquelles les étudiants seront préparés et les qualités personnelles et professionnelles qu'ils devront posséder pour s'en acquitter".

Qui est-il (elle) cet(te) infirmier(ère)?

Il est très peu de professions dont l'histoire soit autant liée à celle de la femme que la profession d'infirmière.

Où est la vocation? Est-ce une chose du passé, un mythe sans fondement ou encore quelque chose qui a toujours existé et existera toujours mais dépouillé de sacrifice qui n'en finit pas de marquer notre culture? Est-il nécessaire de se sacrifier pour aider les autres? Le métier de prévenir les maladies, soigner les malades, ne pourrait-il pas être gratifiant?

Dans un temps où les rapports se déshumanisent, où les institutions sont énormes et les services ultra-spécialisés, l'infirmière est ce contact humain, essentiel entre la science et la personne qu'elle contacte, soit pour prévenir ou pour guérir. Ses gestes quotidiens lui permettent de communiquer directement avec la personne qu'elle rencontre. Le geste, qu'il soit préventif ou curatif, doit être précis, empreint de savoir et chaleureux. Si le geste qu'elle pose est curatif, elle aura besoin d'une bonne dose de maîtrise de soi quelquefois pour aborder quelqu'un qui se plaint continuellement.

Elle doit souvent concilier deux fonctions en raison d'une diminution de personnel. Pourtant elle n'a pas le droit de se tromper. Elle est responsable de chaque médicament qu'elle donne, de chaque geste qu'elle pose. Il lui faut apprendre à être aussi efficace la nuit ou le soir que le jour. Savoir greffer sa vie sociale et familiale sur cet horaire.

Si nous remontons un peu le cours de l'histoire et que nous regardons la formation de l'infirmier(ère) avant les années 70, nous constatons que sa profession la prépare surtout à travailler auprès des malades et très peu dans le secteur public en *prévention*. Ce mot est pratiquement inconnu.

Le temps de l'infirmière - étudiante à l'hôpital est partagé entre des cours théoriques et son travail auprès des malades. Sa dépendance vis-à-vis le médecin était très marquée.

Les médecins du Québec furent les premiers à obtenir par reconnaissance légale, le contrôle exclusif du soin des malades, incluant la pratique des accouchements, contrôle que les associations médicales des autres provinces parvinrent graduellement à s'assurer par des lois diverses.

N'étions-nous pas assez loin de l'autonomie professionnelle? Le droit médical et hospitalier est une science qui connaît depuis près de dix ans une évolution qui remet en question plusieurs principes de droit commun jusqu'alors utilisés pour régler la plupart des conflits soumis à l'appréciation des tribunaux. Cette évolution s'est poursuivie avec la loi de l'assurance-hospitalisation en 1960, la loi des hôpitaux en 1962, des règlements de la Loi des hôpitaux en 1968, et tout récemment en 1970 avec la sanction par l'Assemblée nationale du Québec des lois et règlements de l'assurance-maladie. Le patient connaît de plus en plus ses droits et n'hésite pas à recourir aux tribunaux lorsqu'il pense avoir été victime d'une faute professionnelle.

15.4 ÉCHANGER OU CRITIQUER POSITIVEMENT LES ROLES NOUVEAUX DE LA PROFESSION

En 1795, Florence Nightingale commença son programme d'éducation des infirmières. Elle ne reçut pas de tous un accueil favorable. Le monde médical craignait que les infirmiers empiètent sur le domaine médical. Le problème existe-t-il encore aujourd'hui? Les intérêts établis et privés priment-ils sur les besoins publics? La pratique de la profession permet-elle de développer au maximum le potentiel de l'individu? Faudra-t-il développer plusieurs talents si nous voulons arriver un jour à donner universellement des soins de qualité aux malades?

Le nursing est une profession jeune. Il n'est pas étonnant qu'il soit dans un état encore instable. L'histoire des professions soignantes prouvent que la préparation professionnelle exige plus de temps. Elle est dépendante des connaissances accumulées, des exigences individuelles et collectives de la santé, de la délégation des fonctions et des devoirs d'une profession à l'autre. La préparation moyenne de ces agents de la santé augmentera substantiellement dans la prochaine génération à tous les niveaux. Le voyage ne fait que commencer. Le nursing doit chercher la coopération des éducateurs, du public, des administrateurs d'hôpitaux, et d'autres groupes scientifiques et sanitaires pour atteindre à l'excellence dans l'éducation et répondre aux besoins de la société dans le domaine de la santé. Nous atteindrons notre objectif si nous pouvons recruter un grand nombre de jeunes talents et nous réussirons notre recrutement si nous parvenons à démontrer que l'étude du nursing ne nécessite pas l'isolement des étudiants des autres programmes éducationnels et que les critères d'admission seront exigeants.

N'avons-nous pas l'impression que plusieurs des candidats aux techniques infirmières ont échoué dans d'autres secteurs et c'est une option de dépannage où la motivation peut être mise en doute? L'on a vu le nursing changé d'un simple type de soins intuitifs du malade à un procédé complexe et hautement technique. La question reste la même: *Avons-nous changé nos valeurs?* Par un examen profond et imaginatif, le nursing devra trouver sa voie et son orientation.

15.5 ASSUMER LES RESPONSABILITÉS DÉCOULANT DE LA PRATIQUE GÉNÉRALE COMME DES SPÉCIALITÉS

Quelle serait l'une de nos grandes difficultés en nursing? Ne souffrons-nous pas d'un manque d'orientation éducationnelle? Ne possédons-nous pas l'élément sélectif sans les éléments généraux? Souvent de nouvelles idées en éducation peuvent se voir condamnées du seul fait qu'elles appellent un changement. Pourtant nous vivons le dynamisme du provisoire: tout change dans la société, les conditions sociales et économiques changent. L'éducation infirmière doit donc préparer le candidat à prendre sa place dans la société. Les programmes à venir doivent tenir compte du passé comme d'un héritage à utiliser. La dépendance des écoles d'infirmières des hôpitaux a eu comme conséquence de nombreux conflits entre les besoins des services et les besoins des étudiants. La géographie de l'hôpital a influencé la division du curriculum en catégorie de département tels que: médical, chirurgical, obstétrique, pédiatrique, psychiâtrique. Ce plan répond aux besoins administratifs de l'hôpital et du médecin.

La rotation des étudiants a suivi cette fragmentation. La géographie de l'hôpital est responsable en partie de la formation des spécialistes au détriment des généralités. L'infirmière pédiatrique redoute d'abandonner le poste qui lui est familier pour un poste en obstétrique par exemple. L'infirmière est limitée dans ses possibilités. Le changement provoque l'angoisse; ne pourrait-on pas développer l'adaptabilité au changement?, "l'équipe volante"?

15.6 ETRE UN AGENT DE CHANGEMENT DANS SON MILIEU DE TRAVAIL EN S'Y ENGAGEANT POSITIVEMENT

Est-il arrivé le moment tant attendu où l'infirmier(ère) peut travailler dans un véritable esprit de coopération et d'équipe avec le médecin?

Heureusement les prises de conscience se font; le conservatisme a tendance à faire place à une dynamique du changement. Les infirmiers(ères) qui travaillent dans les C.L.S.C., les Centres Locaux de Services Communautaires, se retrouvent à l'intérieur d'une équipe multidisciplinaire composée d'assistants sociaux, de psychologues et de médecins. On peut donc assurer la santé de l'individu dans son entier.

Le rôle de l'infirmière-visiteuse est très important dans notre nouveau contexte social. Le nouveau régime en vigueur dans les hôpitaux où l'on favorise le milieu naturel pour de grands malades a permis à ce service de se développer. Quand leur état s'améliore, une *infirmière-visiteuse*, sous autorisation du médecin traitant, continue les soins à domicile. Elle peut alors faire de la prévention et aider l'individu à connaître la cause de sa maladie et à prendre les moyens pour l'enrayer.

Une infirmière me disait: "J'ai changé mon nom de garde-malade pour *garde-santé*".

Sommes-nous arrivés dans notre souci professionnel à cette mentalité de garde-santé? Nous constatons qu'avec les changements culturels et technologiques qui nous environnent, les modèles traditionnels d'éducation ne peuvent servir à la société actuelle. Quels sont les buts que vise l'éducation actuel? Les théoriciens admettent généralement que l'éducation doit avoir un caractère sélectif, un esprit particulier à la discipline choisie et doit comporter une part d'éléments communs à plusieurs disciplines.

Un milieu favorisant cette préparation professionnelle

Le CEGEP est-il un milieu adéquat à cette préparation profession- nelle?

Le principal reproche qu'on adresse à l'enseignement infirmier dans les CEGEPs demeure le manque de préparation concrète à la profession. On insiste beaucoup sur une formation théorique et l'étudiant ne passe qu'un à trois jours par semaine à l'hôpital. Il existe un trop grand écart entre la théorie et la pratique. Malgré ces lacunes, il existe tout de même plusieurs avantages à cette formation.

Mais quels sont les avantages de la formation cégépienne?

1. On y offre une formation générale plus complète que l'ancienne école de nursing.
2. Les étudiants ne vivent plus en vase clos. Ils sont donc plus intégrés à la vie sociale de leur milieu, plus ouverts.
3. L'étudiant a des possibilités accrues d'accéder à des études supérieures, au baccalauréat, à la maîtrise et à se spécialiser.
4. Il peut continuer sa formation en cours d'emploi.
5. Plusieurs désirent réintégrer le marché du travail. Il existe pour eux un programme de formation professionnelle continue.

Aucune école professionnelle ne peut espérer un "produit fini" car la maîtrise d'un métier, les connaissances expertes et la maturité de jugement ne peuvent s'obtenir qu'après une longue expérience professionnelle. Tout ce qu'une école d'infirmière peut espérer faire, c'est de fournir à la société des infirmiers(ères) ayant acquis suffisamment d'habileté et de jugement pour pouvoir pratiquer leur profession en toute sécurité et avec une certaine indépendance.

Quels seraient les objectifs spécifiques à un nursing professionnel?

1. Former des infirmiers(ères) professionnellement et techniquement compétents(tes), capables.
   a) d'appliquer leurs connaissances de physique, biologie, sociologie à l'administration des soins infirmiers;
   b) d'observer, d'interpréter et d'informer qui de droit;
   c) d'administrer ou d'organiser des soins infirmiers en exerçant autour d'eux l'influence psychologique appropriée et d'aider à poser un diagnostic ou à définir un traitement;
   d) d'entretenir des contacts utiles avec les clients, familles, collègues;
   e) de choisir et d'appliquer les principes et méthodes qui

conviennent dans leur action éducative auprès des individus et des groupes.

2. Former des infirmiers(ères) capables d'organiser leur propre travail ainsi que de diriger l'activité du personnel auxiliaire.

3. Former des infirmiers(ères) chez qui le souci et la compréhension de l'être humain est une priorité et qui sachent maintenir une bonne interrelation.

4. Aider les infirmiers(ères) à acquérir la maturité nécessaire, l'aptitude à penser et à agir par elles-mêmes et à assumer leurs responsabilités sur les plans humain, professionnel et civique.

5. Former des infirmiers(ères) qui soient désireux(euses) de se perfectionner et leur fournir la base indispensable pour des études plus poussées.

15.7 QUESTIONNAIRE

1. Quelle est la définition de l'acte infirmier?

2. Qu'entendez-vous par les actes délégués?

3. Qu'est-ce que la loi 273 a apporté de nouveau dans le champ infirmier?

4. Qui peut obtenir un permis de pratique de la profession d'infirmier(ère)?

5. En quoi consiste le code des professions ou Bill 250?

6. Qu'est-ce qui permettra à l'infirmier(ère) d'élargir son rôle en tant que professionnel(le)?

7. Quels seraient les rôles nouveaux de la profession en l'an 2000?

8. L'infirmier(ère) est-il(elle) encore limité dans ses possibilités?

9. Etes-vous "garde-malade" ou "garde-santé"?

10. Quels seraient les objectifs spécifiques à un nursing professionnel?

CHAPITRE SEIZIÈME

16.0 Un nursing à portée scientifique

16.1 Identifier dans la pratique de sa profession les connaissances biologiques, psychologiques et sociologiques exigées par l'évolution contemporaine

16.2 Répondre aux besoins bio-psycho-socio-spirituels

16.3 Entretenir des relations interpersonnelles

16.4 Être un agent de changement dans son milieu

16.5 S'intégrer aux activités de l'équipe multidisciplinaire

16.6 Préciser son action nursing par l'étude et la recherche

16.7 Questionnaire

16.0 UN NURSING À PORTÉE SCIENTIFIQUE

Un nursing à portée scientifique permet à l'infirmier(ère) d'intégrer les découvertes contemporaines sur la pathologie et physiologie humaine et les sciences du comportement dans la pratique du nursing. Il(elle) doit donc répondre aux objectifs suivants:

1. D'identifier dans la pratique de sa profession les connaissances biologiques, psychologiques et sociologiques exigées par l'évolution contemporaine

2. De répondre aux besoins bio-psycho-socio-spirituels du client

3. D'entretenir des relations interpersonnelles authentiques basées sur le respect mutuel

4. D'être un agent de changement dans son milieu de travail

5. S'intégrer aux activités de l'équipe multidisciplinaire

6. Préciser son action nursing par l'étude et la recherche.

16.1 IDENTIFIER DANS LA PRATIQUE DE SA PROFESSION LES CONNAISSANCES BIOLOGIQUES, PSYCHOLOGIQUES ET SOCIOLOGIQUES EXIGÉES PAR L'ÉVOLUTION CONTEMPORAINE

Pour que l'infirmier(ère) puisse s'adapter intellectuellement à une médecine en progrès constant, il lui faut la pratique d'une pensée rationnelle et critique. Les soins demandent des connaissances en sciences naturelles, humaines et sociales.

L'éducation de l'infirmier(ère) se situe donc au niveau de cette pensée réfléchie. Cette pensée critique se concrétise dans la méthode du "problem-solving" (solution de problèmes).

16.1.1 La solution de problème

La solution de problème est un acte complet de la pensée critique qui initie l'étudiant(e)

1. À découvrir les problèmes à travers un processus de recherche
2. Il développe l'habileté à résoudre des problèmes et permet une orientation de base qui le rendra capable de s'adapter à son environnement
3. Il rend capable d'identifier un problème de soins qui requiert la perception de facteurs physiologiques et leurs interrelations dans le processus d'adaptation
4. Il favorise la compréhension du caractère hypothétique et dynamique des interventions de soins
5. Il aide l'étudiant(e) à enseigner à l'individu comment utiliser cette méthode prônée par Peplau pour résoudre leurs problèmes à travers la relation interpersonnelle.

Cette "solution de problème" devient donc un processus de la vie quotidienne et le cheminement normal de la pensée de l'étudiant tout au long de ses expériences. Dans ce processus d'apprentissage, le professeur a un rôle important. Les auteurs de "Reflective Thinking" Hulltish et Smith affirment: "C'est le professeur qui doit être le premier à faire avancer la cause de la reconstruction de l'éducation. Pour accomplir ceci, il doit comprendre que le mode de pensée est le mode d'apprendre et il doit être préparé à développer des citoyens rompus aux procédés de la pensée et qui croient que la recherche libre et indépendante est essentielle à la survivance de notre démocratie".

Le professeur facilite, planifie et évalue l'apprentissage avec l'étudiant en choisissant avec lui l'expérience appropriée, le familiarisant avec l'emploi scientifique de la solution de problèmes.

Il aide l'étudiant à investiguer l'inconnu et à trouver lui-même des solutions au lieu de tout réduire par des lectures. Par une surveillance personnalisée et nécessaire à sa croissance, le professeur guide l'étudiant vers une reconnaissance des interrelations, des éléments dans les situations et par une pensée critique. Il aide à choisir la connaissance appropriée (diagnostic nursing), sur laquelle se base l'action (intervention nursing) et l'évaluation des résultats (validation). Cette "intervention nursing" ne se centre pas seulement sur le malade à soigner dans le milieu hospitalier mais aussi sur l'individu dans la communauté qui doit répondre continuellement à un effort d'adaptation pour se maintenir en santé.

16.1.2 Méthode de solution de problèmes

1. Définition de la méthode de solution de problème

2. Justification de l'utilisation de cette méthode

3. Description des étapes de la méthode de solution de problème

> 3.1 Approche de la situation
>
> 3.2 Analyse de la situation: cueillette des données et analyse des données
>
> 3.3 Identification de la nature exacte du problème
>
> 3.4 Formulation du problème nursing ou objectifs de soins
>
> 3.5 Décision d'un plan d'action et exécution
>
> 3.6 Évaluation

1. *Définition de la méthode de solution de problème*

Étapes par lesquelles un problème est identifié et solutionné. Processus mental permettant de *résoudre un problème logiquement.*

2. *Justification de l'utilisation de cette méthode*

Les besoins du client sont déterminés et planifiés plus efficacement;
La pensée de l'infirmière est centrée sur l'individu plutôt que sur la tâche à accomplir;

Cette méthode facilite la préparation et l'utilisation du plan de soins écrit.

3. _Description des étapes de la méthode de solution de problème_

3.1 _Approche de la situation_

3.2 _Analyse de la situation:_ cueillette des données et analyse des données

SOURCES D'INFORMATION:

Le malade ou client: ses comportements et besoins.

Comportement: tout signe, symptôme, acte, réponse faite par l'organisme ou partie de celui-ci ou toute action et réponse faite par la personne.

Besoin: une nécessité, une demande tangible ou non que l'homme doit satisfaire pour atteindre ou maintenir l'homéostase physique et psychologique.

3.3 _Identification de la nature exacte d'un problème_

Une fois l'information compilée, suit l'interprétation des informations.

Interprétation:
— action de proposer, de donner une signification aux faits, aux personnes, aux gestes, résultats de cette action.
— action de tirer des conclusions ou de formuler des hypothèses.

La validité de l'interprétation dépend de:
— quantité de données et la qualité des données
— connaissances acquises et leur utilisation

Suggestions pour aider à interpréter des données:
— relire les informations recueillies et les classifier sous divers termes
Exemple: les besoins de Maslow satisfaits ou non-satisfaits, les capacités ou incapacités du client
— établir les liens de façon à percevoir l'ensemble de la situation
— se questionner sur les incohérences ou ambiguïtés
— reconnaître les données significatives

Le problème peut s'exprimer ainsi:

PROBLÈME DU MALADE

DÉFICIENCE	SURPLUS	DANGER
PERTE MANQUE		
Exemple:	Exemple:	Exemple:
perte de tonicité muscu-laire, ischémie, difficul-tés comme un *problème à inspirer ou à expirer,* perte d'eau et d'électro-lyte, perte d'identité de son rôle	fièvre, surprotection hyperhémie	reconnaître un danger comme un *problème à prévenir* est aussi im-portant que d'identifier une déficience ou un surplus
		Exemple:
		danger de blessure, de perte de son image cor-porelle, déshydratation

3.4 *Formulation du problème nursing ou objectif de soins*

Le problème nursing est une question auquelle l'infirmière doit répondre pour assister le malade à résoudre son problème.

Qu'est-ce que je puis faire pour aider le malade?

Comment puis-je maintenir l'équilibre?

Comment puis-je corriger, réduire, diminuer ce déséquilibre?

3.5 *Décision d'un plan d'action et exécution*

3.5.1 Déterminer des alternatives ou solutions possibles pour répondre à des soins.
Les solutions ou réponses peuvent être trouvées par les mécanismes mentaux tels: analogie, déduction, induction, principes de cause à effet.

3.5.2 Prises de décision

Quoi faire
— identifier les actions spécifiques à exécuter
— identifier les connaissances et les techniques né-cessaires pour exécuter les actions en toute sé-curité

Qui le fera
— décider quel membre de l'équipe peut exécuter l'action

Quand le faire
— évaluer le temps requis pour exécuter les actions compte-tenu des besoins du malade

Combien de temps
— déterminer combien de temps peut être alloué aux soins de ce malade (considérant le temps nécessaire pour les soins des autres malades)

Comment le faire — évaluer les facteurs pouvant faciliter ou nuire à l'exécution de l'action
— identifier les adaptations pouvant être faites pour le malade (individualisation des soins).

Avec quoi — identifier l'équipement nécessaire

3.6 *Évaluation*

— Noter le comportement du malade à la suite des actions posées
— Vérifier si l'objectif des soins est atteint ou non et pourquoi

ÉTAPES DE SOLUTION DE PROBLÈMES

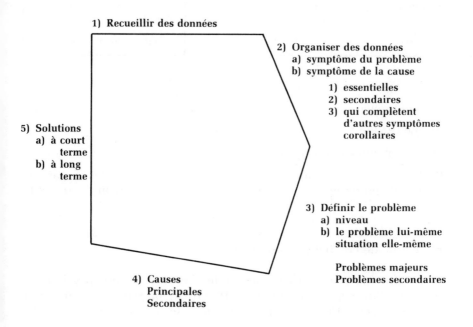

Figure 16.1

16.2 RÉPONDRE AUX BESOINS BIO-PSYCHO-SOCIO-SPIRITUELS DU CLIENT

a) Homme et ses besoins

Satisfaits	Non satisfaits
Équilibre	Désiquilibre = Problème

Exemples:

Besoins	Comportements	Problèmes
—2,000 cc. d'eau pour 24 heures	—soif, peau sèche, constipation, oligurie	—déficience en eau et ne prend que 1,000 c.c.
—respirer librement	—toux	—sécrétions abondantes dans les poumons et bronches
—se mouvoir	—flexion plantaire	—perte de tonus musculaire

b) La famille et les amis

c) Le dossier

d) Le cardex

e) Les membres de l'équipe de soins

f) Utilisation des connaissances et acquisition de celles-ci par les livres, périodiques, journaux, notes de cours, personnes ressources

g) Nous-mêmes

h) Guide de cueillette des données

À ses besoins physiques s'ajoutent les besoins d'ordre psychologiques, socio-culturels et spirituels. L'infirmier(ère) présent(e) à son client trouvera les moyens appropriés pour donner une réponse efficace à ses attentes.

16.3 ENTRETENIR DES RELATIONS INTERPERSONNELLES AUTHENTIQUES BASÉES SUR LE RESPECT MUTUEL

Nous avons eu au Québec, jusqu'à ces dernières années, une médecine curative centrée sur l'hôpital. Le Dr Maurice Jobin, omnipraticien qui exerce une médecine préventice, disait, lors d'une conférence, que le médecin exerçait un certain paternalisme chez ses malades et que la pilule ou le médicament était le produit miracle. Cette médicalisation de la santé empêchait les gens d'aller à la cause de leur maladie.

On a ensuite développé avec l'assurance-hospitalisation le besoin chez les gens d'être hospitalisé. C'est la maladie qui devient le centre d'intérêt et non l'individu. Ex.: le culte des beaux cas. La guérison devient donc le pivot entre les deux pôles maladie-individu.

maladie_____guérison_____individu

plutôt que:

prévention_____individu_____santé

On est donc en face d'une médecine déshumanisée basée sur la technique et non sur la relation interpersonnelle. Le nursing en subit les influences. On doit se mettre en campagne pour crier bien fort: "humanisons les soins".

Si nous réfléchissons sur la valeur d'être du nursing, nous constatons que l'infirmier(ère) a été formé(e) pour le soin du malade, pour suivre l'évolution d'une maladie, panser des blessures, assurer les traitements que requiert un malade en phase aigue ou chronique, études auxiliaires efficaces du médecin. Mais avant la maladie cet individu devait être en santé. S'il a besoin de notre concours, n'est-ce pas justement en raison d'un manque quelconque au cours de sa vie, d'un abus, ou d'ignorance? Si on lui avait enseigné les conséquences de ses abus ou de son mode de vie, peut-être aurait-il conservé sa santé.

En comprenant mieux les besoins des individus variant selon les facteurs sociaux, économiques et culturels, nous pourrons mieux y répondre et entretenir des relations interpersonnelles authentiques.

Il faut réapprendre à converser avec les gens qu'on appelle les malades pour mieux les rejoindre. En cessant de voir la maladie, nous verrons l'humain dans toute son entité.

Ne serait-ce pas un avantage que le personnel hospitalier soit non seulement formé aux techniques de soins mais adopte le style et le comportement du personnel hôtelier: si dans un hôtel on considère que le client bien portant est roi, dans un hôpital où l'on a affaire à des malades et des gens diminués physiquement et moralement, le client devrait être traité avec beaucoup plus d'égards.

Devant les progrès que d'autres nations ont faits en matière de prévention, ne sommes-nous pas fortement invités, tous les agents de la santé, à changer nos priorités, et que la santé soit centrée sur le milieu naturel de l'individu?

En aidant l'individu à changer son mode de vie et son environnement, on améliore sa santé. Cette éducation de la santé sera de plus en plus sociale, axée non seulement sur l'individu, mais aussi sur la communauté dans laquelle il évolue.

Le Dr René Dubos nous parle de l'homme comme un tout intégré sur lequel se joue simultanément des forces génétiques, historiques et environnantes qu'il interprète d'une manière symbolique et psychologique.

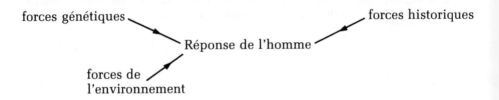

Dans cette nouvelle optique sociale de la médecine, la santé signifie le succès, la possibilité de s'adapter harmonieusement au milieu ambiant. Dans cette adaptation de l'homme à son milieu, le nursing a donc un rôle de facilitateur et d'aide à l'individu. Ce rôle se concrétise dans ses relations interpersonnelles avec le client. Elle doit donc connaître les dimensions de la personne humaine.

16.5 S'INTÉGRER AUX ACTIVITÉS DE L'ÉQUIPE MULTIDISCIPLINAIRE

Avec la loi sur les services de santé et les services sociaux, le rôle de l'infirmier(ère) sera élargi. Celui(celle)-ci ne sera plus strictement au chevet du patient dans l'hôpital, mais il(elle) sera appelé(e) à remplir un rôle d'enseignement et de prévention dans son milieu social.

Il(elle) aura à se joindre à cette équipe multidisciplinaire de la santé qui comprend:

Le M.A.S.: Ministère des Affaires Sociales

Le CRSS: Conseil Régional de la Santé et des Services sociaux

Le CLSC: Centre Local des Services Communautaires

Le C.A.: Centre d'Accueil

Le C.S.S.: Centre des Services Sociaux

Le C.H.: Centre Hospitalier

Son rôle dans l'équipe multidisciplinaire de la santé sera:

1. De participer à fournir sa part de soins et sa collaboration aux programmes de santé
2. Il(elle) sera infirmier(ère) consultant(e) au sein du groupe
3. Il(elle) participe au développement d'un code d'éthique et de politiques institutionnelles
4. Il(elle) participe avec les autres membres du groupe de santé dans le travail de recherche.

Au lieu de travailler et de mettre l'accent sur le curatif, l'infirmier(ère) aura à élargir son champ de prévention. L'infirmier(ère) travaille depuis des années à avoir une profession légale, c'est-à-dire à travailler dans la légalité.

À venir jusqu'à présent, l'infirmier(ère) engagé(e) aux soins du patient avait pour fonction:

a) D'appliquer le traitement prescrit par le médecin

b) D'observer, évaluer, communiquer les observations significatives en regard du patient

c) Assister le médecin quand il applique des traitements spécifiques

d) Aider le patient à se sentir plus à l'aise devant le traitement qu'il doit accepter en établissant un bon contact

e) Aider le patient à récupérer et à maintenir son état de santé

f) Assister le patient et lui enseigner à répondre par lui-même à ses besoins physiques

g) Agir effectivement dans des situations graves et en cas d'urgence

Il est à noter que notre profession ne s'arrêtera pas à ce stade; nous voilà sorti de notre règne d'esclavage de l'hôpital.

Le monde moderne attend beaucoup de nous.

LOI SUR LES **SERVICES** DE **SANTÉ** ET LES **SERVICES SOCIAUX**

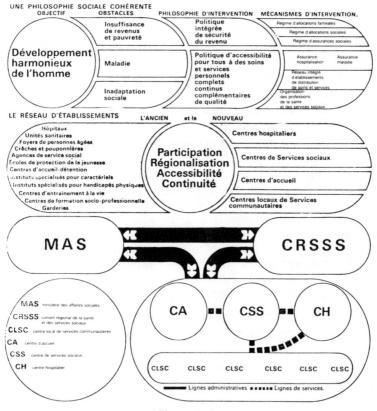

Figure 16.2

16.6 PRÉCISER SON ACTION NURSING PAR L'ÉTUDE ET LA RECHERCHE

Cette soif de savoir que chacun ressent de plus en plus a obligé le système d'éducation actuel à créer un programme d'éducation continu. Il existe de multiples possibilités de perfectionnement dans divers milieux. Cegeps, Universités, etc...

Il existe dans certains cegeps un programme d'actualisation professionnelle pour les infirmiers(ères) qui n'ont pas travaillé depuis 4 ou 5 ans. Le programme est axé sur:

—les soins infirmiers dans la société actuelle
—le changement socio-économique qui a une répercussion sur les soins infirmiers
—les soins infirmiers (dans le monde du travail, législation, service de santé, technologie moderne)
—l'organisme de santé (structures, équipes, niveau de soins)
—les services de soins infirmiers (objectifs soins gradués ou progressifs, personnel de service ou travail d'équipe)
—l'éducation de l'infirmier(ère) d'aujourd'hui (philo-méthodes actives d'enseignement)
—l'apport des soins infirmiers à la promotion de la santé
—théorie: santé, besoins fondamentaux, besoins spécifiques, laboratoires, plan de soins, médicaments, etc...
—le nursing général dans diverses spécialités
—le nursing en équipes:
    —introduction concept équipe
    —rôle de l'infirmier(ère)
—le nursing clinique, comprenant expérience dirigée dans diverses cliniques pré-natales, clinique externe, salle d'urgence
—le nursing gériatrique: expérience dirigée auprès des malades âgés et personnes atteintes de pathologie à long terme[1]

Au niveau universitaire, il y a un plus grand échantillonnage de perfectionnement, c'est-à-dire: "L'accessibilité au baccalauréat d'une durée de trois ans, axé sur l'acquisition de connaissances permettant des changements de comportements d'attitudes, favorisant des capacités plus grandes dans l'évaluation de l'état de santé et permettant à l'infirmière de se qualifier comme infirmière clinicienne.

— Il y a aussi la maîtrise et le doctorat
— Diverses spécialisations telles que: cardio-vasculaire, psychiâtrie, etc...
— Le certificat en nursing, programme de 30 crédits.

Le service d'Éducation Permanente à l'Université offre aussi bien des possibilités de perfectionnement.

[1] Actualisation professionnel au CEGEP, *Infirmière Canadienne*, p. 39, juillet 73.

16.6.1 Le modèle infirmier

Les éducateurs en soins infirmiers n'ont plus le loisir de perpétuer dans leur enseignement le modèle médical.

Plusieurs infirmiers(ères) ont prouvé la pertinence d'un modèle infirmier à la base d'un programme de formation en soins infirmiers. Il s'est avéré qu'un modèle devient plus significatif pour l'étudiant et facilite l'apprentissage. Il lui est possible de cerner plus rapidement les éléments essentiels d'une situation problématique à laquelle il est confronté et d'identifier son rôle dans une équipe multidisciplinaire.

Cette formation permet à l'infirmier(ère) une approche du client avec une optique différente de celle du médecin et de tout autre travailleur de la santé. Cette démarche systématique permet de développer chez l'étudiant(e) sa capacité d'analyse et de synthèse qui favorise une démarche scientifique dans la conception explicite des soins.

16.6.2 Exemples de modèles conceptuels en nursing

— Frédéric Northam	— Orem
— Harmer	— Orlando
— Henderson	— Rogers
— Lévine	— Shaw
— Nightingale	— Wiedenback

Nous constatons en étudiant ces différents modèles qu'ils correspondent à une philosophie du nursing. Les thèmes dominants valorisent des aspects spécifiques selon les priorités de l'auteur. Chaque école ou individu adoptera le modèle qui convient le mieux à sa personnalité et peut-être s'en créera-t-il de nouveaux.

Pourrait-il exister autant de modèles qu'il y a d'infirmiers(ères)?

FREDERICK/NORTHAM

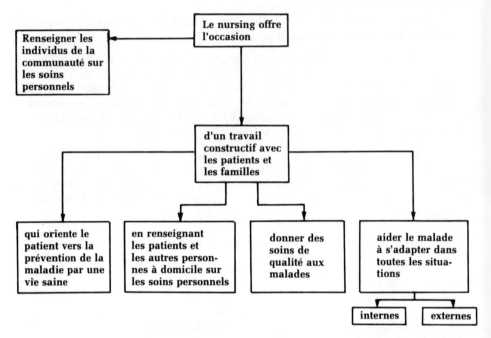

Les thèmes dominant dans le modèle Nursing de Frederick et de Northam: **le thème de l'action personnelle du patient et les moyens de promouvoir cette action.**

HARMER

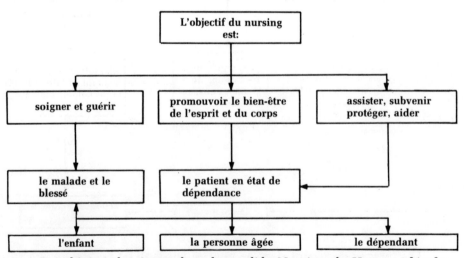

Les thèmes dominant dans le modèle Nursing de Harmer: **développement du thème de l'assistance du patient en état de dépendance.**

HENDERSON

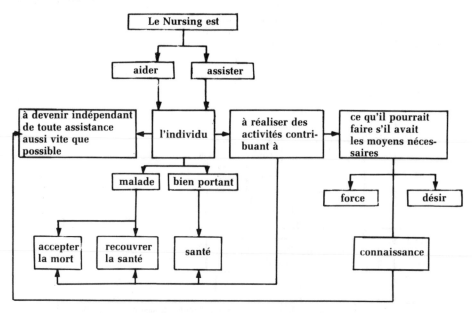

Les thèmes dominant dans le modèle Nursing de Henderson: *Formulation des thèmes:* **assistance à l'individu en santé ou malade à recouvrer la santé dès que possible et des possibilités de conserver la santé.**

LEVINE

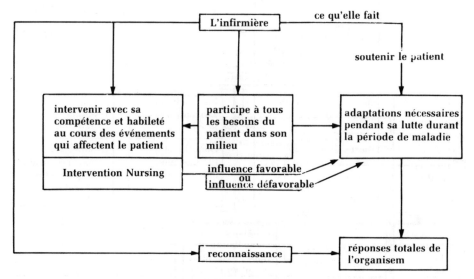

Les thèmes dominant dans le modèle Nursing de Levine: **centré sur l'adaptation du malade en état de maladie.**

NIGHTINGALE

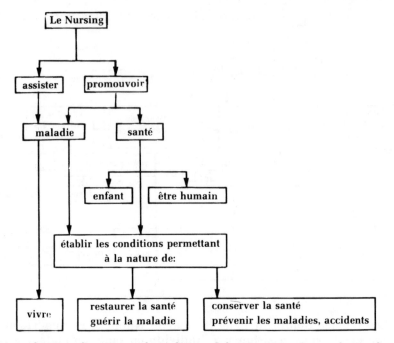

Les thèmes dominant dans le modèle Nursing de Nightingale: *Formulation des thèmes de:* **santé et maladie**

OREM

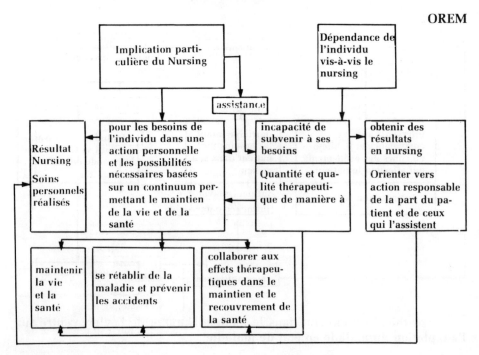

Les thèmes dominant dans le modèle Nursing d'Orem: *Formulation d'une fin se traduisant par* **une réalisation de soins personnels (terme self-care).**

ORLANDO

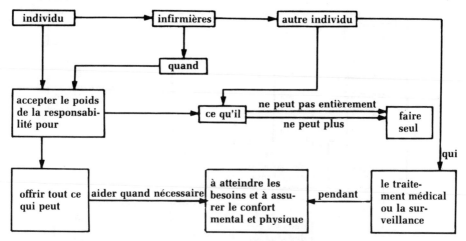

Les thèmes dominant dans le modèle Nursing d'Orlando: *Formulation de* **la responsabilité de l'infirmière en relation avec le patient.**

ROGERS

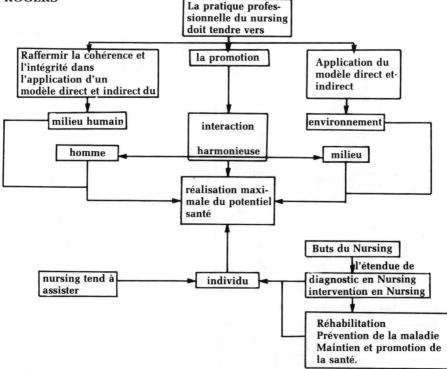

Les thèmes dominant dans le modèle Nursing de Rogers: **ce modèle est centré sur la pratique professionnelle en buts et objectifs.**

SHAW

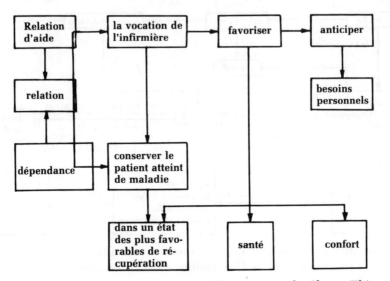

Les thèmes dominant dans le modèle Nursing de Shaw: *Thèmes des relations:* **personnelles, interpersonnelles**

WIEDENBACK

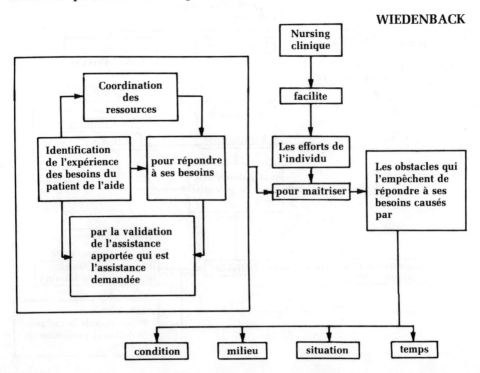

Les thèmes dominant dans le modèle Nursing de Wiedenback: *Autres développements du thème de* **l'action personnelle du patient (self-care agency)**

16.6.3 Le modèle Nursing de Dorothy Orem

Nous analyserons ici à titre d'exemple le modèle Nursing d'Orem qui se traduit par une réalisation de soins personnels (self-care) et nous oriente vers l'approche suivante:

1. Besoins de soins-personnels

2. Capacité de s'engager dans le soin personnel

3. Incapacité de s'engager dans le soin personnel

4. Système de nursing: Entièrement compensateur
   Partiellement compensateur
   Support, éducation

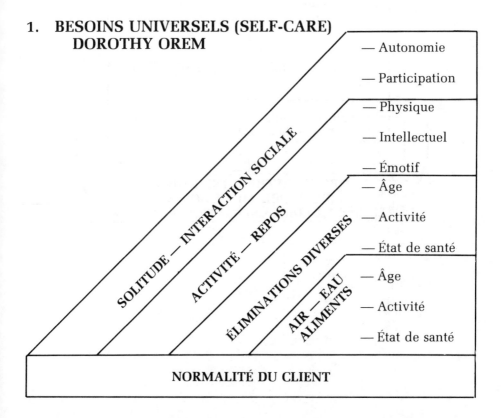

1. **BESOINS UNIVERSELS (SELF-CARE) DOROTHY OREM**

— Autonomie

— Participation

— Physique

— Intellectuel

— Émotif

— Âge

— Activité

— État de santé

— Âge

— Activité

— État de santé

SOLITUDE — INTERACTION SOCIALE

ACTIVITÉ — REPOS

ÉLIMINATIONS DIVERSES

AIR — EAU ALIMENTS

NORMALITÉ DU CLIENT

2.-3. CAPACITÉ OU INCAPACITÉ DE S'ENGAGER DANS LE SOIN PERSONNEL

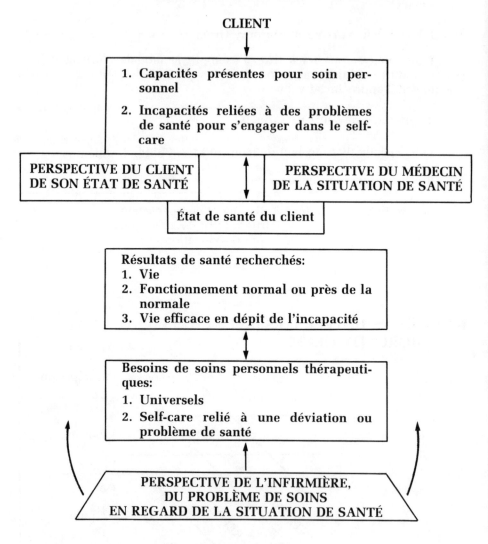

CLIENT

1. Capacités présentes pour soin personnel

2. Incapacités reliées à des problèmes de santé pour s'engager dans le self-care

PERSPECTIVE DU CLIENT DE SON ÉTAT DE SANTÉ

PERSPECTIVE DU MÉDECIN DE LA SITUATION DE SANTÉ

État de santé du client

Résultats de santé recherchés:
1. Vie
2. Fonctionnement normal ou près de la normale
3. Vie efficace en dépit de l'incapacité

Besoins de soins personnels thérapeutiques:
1. Universels
2. Self-care relié à une déviation ou problème de santé

PERSPECTIVE DE L'INFIRMIÈRE, DU PROBLÈME DE SOINS EN REGARD DE LA SITUATION DE SANTÉ

4. SYSTÈME DE NURSING

a) Système de nursing entièrement compensateur

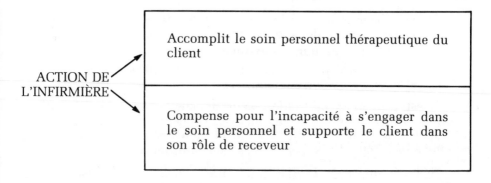

b) Système de nursing partiellement compensateur

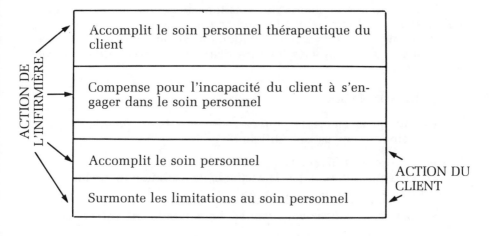

c) Système de nursing de support et d'éducation

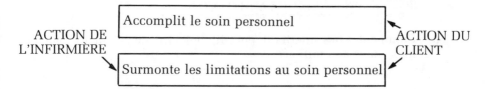

Trois critères qui doivent déterminer le choix d'une théorie des soins infirmiers:

1. La théorie doit être capable d'expliquer ou de tenir compte des tâches de l'infirmier(ère)
2. Être simple afin que l'étudiant puisse la comprendre

3. Que le corps professoral accepte de se rallier autour de la théorie choisie

Mme Stephens au sujet de "Relation of nursing theory to curriculum" fait les 3 affirmations suivantes:

a) Les théories du nursing sont significatives pour la pratique et l'enseignement des soins infirmiers
b) Les théories du nursing existent
c) Les théories du nursing peuvent être utilisées pour établir la structure d'un curriculum

Il est dangereux de vouloir bâtir un curriculum avec plus d'une théorie. L'utilisation de plusieurs modèles conceptuels est en grande partie responsable pour le sentiment de confusion fréquemment ressenti par les étudiants à l'égard des théories des soins infirmiers.

Si nous analysons Levine, Johnson, Orem, etc., il n'existe pas actuellement de théorie complètement opérationnalisée, c'est-à-dire qui a développé les deux aspects *contenu* et *démarche*.

La démarche et la théorie de soins infirmiers pour construire un curriculum doivent être la même; le mode de pensée doit être le même. Ex.: le modèle Lévine et la démarche solution de problèmes peuvent bien s'articuler parce qu'ils sont axés tous les deux vers la résolution de problèmes.

16.7 QUESTIONNAIRE

1. Sur quels éléments pouvez-vous vous baser pour affirmer que votre nursing est scientifique?

2. Qu'entendez-vous par la Méthode de "solution de problèmes"?

3. Comment pouvez-vous répondre aux besoins de votre client?

4. Qu'est-ce qui prouve que vos relations interpersonnelles sont authentiques?

5. Comment l'infirmier(ère) peut-il(elle) être un agent de changement dans son milieu?

6. Comment pouvez-vous vous intégrer aux activités de l'équipe multidisciplinaire?

7. Qu'entendez-vous par un modèle conceptuel en nursing?

8. Développez dans vos propres mots un modèle de votre choix?

CHAPITRE DIX-SEPTIÈME

17.0 Un nursing à prospectives d'avenir

17.1 Un facteur d'évolution: l'évaluation

    17.1.1   Les objectifs de l'évaluation

    17.1.2   Que veut dire évaluer?

    17.1.3   Les avantages de l'évaluation

    17.1.4   Les principales formes d'évaluation

    17.1.5   L'objectivité de l'évaluation

    17.1.6   Les critères de l'évaluation

    17.1.7   Qui est capable d'évaluer quelqu'un?

17.2 Une éducation basée sur l'acte d'apprendre

Comment répondre à toutes ses questions?

17.0 PROSPECTIVES D'AVENIR

La profession infirmière s'oriente de plus en plus aujourd'hui vers la communauté, afin de se centrer davantage sur la prévention des maladies et enseigner aux individus de bonnes habitudes de vie en vue d'améliorer leur santé. La conférence fédérale des ministres de la santé insiste beaucoup sur les mesures préventives. Il existe de multiples besoins de surveillance en hygiène industrielle, hygiène au travail, dans le secteur des soins aux personnes âgées. L'infirmier(ère) est confronté(e) aujourd'hui et le sera de plus en plus à d'autres formes de distribution de soins. Améliorer la qualité de la vie sera l'une de ses priorités s'il veut être une aide efficace pour la population. Il aura aussi à prendre de nouvelles responsabilités soit au bureau d'un hôpital, aux différents conseils d'industries ou d'universités, sans pour cela perdre de vue "l'élément fondamental des soins qu'il(elle) a à prodiguer et la santé qu'elle a à promouvoir.

Les cliniciennes de la santé seront de plus en plus en demande à la suite de ce changement de mentalité qui s'opèrent petit à petit. Pour un meilleur service à la population, c'est dans cette voie que le nursing tient son évolution.

17.1 UN FACTEUR D'ÉVOLUTION: L'ÉVALUATION

Pourquoi inclure l'Évaluation dans une prospective d'avenir
pour l'infirmier(ère)?

Dans le passé et peut-être encore aujourd'hui, on avait tendance à croire que le rôle de l'évaluation était de faire jaillir tout le négativisme que pouvait contenir un travail ou un comportement. Au lieu d'aider la personne à grandir et à apprendre par ses lacunes ou erreurs, on l'écrasait et on éteignait chez elle tout dynamisme. Si on n'avait pas trouvé de points négatifs dans une entrevue, ça ne s'appelait pas évaluation.

Je me souviens personnellement qu'une surveillante dans un hôpital m'avait dit au cours d'une évaluation la phrase suivante: "Vous parlez de toute autre chose que le nursing dans vos pauses café". Pour elle c'était une attitude négative et pour moi: un signe d'hygiène mentale, d'avoir d'autres centres d'intérêt en dehors du travail.

L'évaluation joue un rôle important aujourd'hui dans la société et elle peut être un facteur d'évolution pour l'infirmier(ère) ou autre travailleur si elle est bien comprise.

17.1.1 Quels pourraient être les objectifs de l'infirmier(ère) en ce qui a trait à l'évaluation?

L'évaluation permet:

1. D'énumérer les critères d'objectivité

2. De comparer les points forts des points faibles de son action nursing

3. De définir le progrès de l'infirmier(ère) dans l'exercice de sa profession

4. De stabiliser sa personnalité dans son action nursing

5. D'aider à atteindre ses buts personnels

6. De comprendre le pourquoi de son comportement

7. D'apprendre à se connaître par son auto-évaluation

8. De préciser des critères d'évolution (amélioration)

9. Autres . . .

17.1.2 Que veut dire évaluer?

"Evaluer, c'est apprécier la valeur, le prix, l'importance d'une chose", nous enseigne le petit Larousse.

Bloom pour sa part, définit l'évaluation "comme la formulation dans un but déterminé de jugements sur la valeur de certaines idées, travaux, situations, méthodes, matériel, etc... Elle implique l'utilisation de critères aussi bien que de standards pour évaluer dans quelle mesure certaines données spécifiques sont exactes, efficaces, économiques ou satisfaisantes."

L'évaluation a un champ d'action immense et toute définition qu'on essaye de lui donner la compartimente.

17.1.3 Quels sont les avantages de l'évaluation?

1. Par son auto-évaluation, l'infirmier(ère) prend conscience des points qui se sont améliorés.
   L'étudiant(e) a fait cet apprentissage pendant son cours. Au cours de ses stages, elle fait son auto-évaluation et sa co-évaluation avec le professeur. Elle lui sert de stimulant dans l'amélioration de ses techniques, son approche du malade, son interrelation avec le personnel.

2. Pour l'entreprise ou l'hôpital, une meilleure connaissance de ses employés.

3. Pour la personne, un encouragement pour donner un rendement efficace, une plus grande autonomie, des responsabilités accrues, un travail plus attachant.

17.1.4 Quelles sont les principales formes d'évaluation?

a) La fiche d'appréciation

b)   La représentation graphique des données
c)   La fiche de notation

17.1.5   La fiche d'appréciation

Cette formule comprend un exposé détaillé des critères relatifs à la tâche, groupés sous des schèmes communs presque à tous les emplois du personnel des soins infirmiers mais applicables à des degrés différents.

La valeur relative de chaque critère est exprimée en termes mesurables appelés "cotes".

La détermination des cotes peut être établie comme suit:

— chiffre de base: 5
— coefficient de pondération: 10 à 18
— coefficient de corrélation pour les schèmes suivants:

— Tenue vestimentaire	— Aptitudes à diriger
— Tenue des dossiers	— Aptitudes à enseigner
— Plan de soins	— Relations humaines
— Rapports	— Méthodes de travail
— Langage	— Sens de l'organisation
— Sens des responsabilités	

La formule peut comprendre aussi un sommaire de l'appréciation, avec justification par des faits concrets. Cette appréciation permet d'identifier et de préciser les capacités de l'individu, de découvrir les besoins de perfectionnement, d'améliorer les conditions de travail, de majorer le rendement et de permettre une bonne planification du personnel requis.

17.1.6   En quoi consiste l'objectivité de l'évaluation?

Il faut laisser de côté tout sentiment personnel. L'évaluation serait inexacte si elle reflétait les sentiments de l'évaluateur. C'est un bien mauvais service à rendre à quelqu'un et à l'institution de fournir une évaluation fausse.

Une évaluation bien fondée est donc objective et elle est basée sur des observations précises, indépendantes de l'état d'esprit et des préjugés personnels.

17.1.7   Quels sont les principaux critères qui s'appliquent à l'évaluation?

1.   L'efficacité qui est démontrée dans l'exercice des travaux antérieurs et présents.

2.   La facilité d'adaptation

3.   L'initiative personnelle
(la réussite à un poste inférieur ne garantit pas automatiquement la réussite à un poste supérieur)

4.   Le sens de la recherche pour progresser dans son travail

Les qualités personnelles sont toujours plus difficiles à évaluer que les compétences, parce que cela suppose un jugement subjectif. Il est difficile de mettre de côté ses propres sentiments et son opinion personnelle quand il s'agit de juger des traits de personnalité.

17.1.8 Sommes-nous capables d'évaluer quelqu'un?

Nous pouvons répondre positivement si nous sommes capables de:

— Eloigner les réserves personnelles, les préjugés, le venin même, pour assurer une lucidité honnête.
— Découvrir des talents nouveaux
— Réveiller la confiance en soi
— Découvrir le potentiel énorme qui stagne dans chacun de ceux que nous devons évaluer
— Respecter les aptitudes, les goûts, les compétences, les possibilités
— Faire découvrir les besoins d'amélioration, les failles inconscientes
— Aimer assez pour ne pas éteindre la mèche qui fume encore

Ces quelques moyens énumérés avec ses aspects à la fois négatifs et positifs témoignent que cette tâche exige que l'on agisse prudemment et impartiellement pour respecter la personne, pour lui aider à conscientiser ce qu'elle vit, lui permettre d'exercer sa créativité et faciliter son autonomie.

Il faudra donc pour réaliser ce programme une philosophie centrée davantage sur la personne que sur la tâche. Sans minimiser le savoir et le savoir-faire, le savoir-être prendra la place qui lui revient dans ce nursing dynamique, humain, à portée scientifique, professionnel, et à perspective d'avenir.

17.1.9 Tableau d'une auto-évaluation[1]

TABLEAU D'AUTO-ÉVALUATION	Points	Gestes à poser
Apparence personnelle		
Discrétion dans les paroles et comportements		
Manières courtoises et sens social		
Habilité à travailler avec les autres		
Acceptation de la surveillance		
Sens des responsabilités		
Fiabilité (Personne sur qui on peut se fier)		
Ponctualité		
Tact		
Initiative		
Connaissances des procédures des traitements		
Dépistage de tous les besoins des patients		
Attention au confort du patient (de tous)		
Souplesse à se conformer aux ordres		
Habilité à organiser son travail		
Diligence pour garder l'ordre partout		
Economie de temps et d'argent		

(1) Smith, Elizabeth, R.N., B.S., M. Ed. et Barbara Hyper, R.N. *Concepts in Leadership*. The
     C.V. Mosby Company, St. Louis, 1973. Ch. 2 - page 8-9

17.2 UNE ÉDUCATION BASÉE SUR L'ACTE D'APPRENDRE

Les infirmiers(ères) subissent un choc lors de leur premier emploi. C'est un conflit qui résulte de la confrontation de deux cultures: celle des éducateurs et celle des milieux de travail. Il y a une démarche de socialisation à faire. Les étudiants(tes) doivent être préparés(es) aux changements.

Cette préparation implique que l'enseignant favorise la relation adulte chez l'apprenant, il prend en considération les points suivants:

— l'accent est placé sur le résultat de l'apprentissage
— l'apprenant n'est pas mesuré par rapport aux autres apprenants mais par rapport aux objectifs déterminés
— flexibilité au niveau de la façon d'acquérir les connaissances
— les séquences ne sont pas déterminées

Dans cette perspective, peut-être aurons-nous un nursing largement ouvert au service de la santé générale de la population.

Un nursing qui réintègre la maladie, la souffrance et la mort au coeur de l'existence sociale comme des dimensions naturelles de la vie.

Un nursing de synthèse qui ne méprise aucunement la technique mais désire l'humaniser.

Un nursing qui met l'accent sur le préventif sans toutefois dédaigner le curatif.

Un nursing qui prend sa place dans un nouvel art de vivre.

Un nursing conscient que: SANTÉ = VIE   et que pour vivre en santé et la promouvoir il faut être "A l'écoute de Sa Vie".

CONCLUSION

Le genre de santé que les hommes désirent aujourd'hui n'est-il pas celui qui leur donne non seulement une vigueur physique mais un sentiment de bien-être? La recherche de la santé et du bonheur n'est-elle pas guidée par des besoins sociaux plutôt que biologiques?

Elle est donc liée au sens que l'homme trouvera dans l'existence, à sa raison d'être sur cette planète.

Opter pour la santé présuppose des choix. Quelle santé peut-on entretenir chez des personnes âgées qui sont exclues de toute créativité et possibilité de vie affective et sociale? Chez la personne dépressive, si l'on ne contribue pas à lui trouver une raison et une possibilité de vivre? Nous devons être en attitude d'éveil et d'interrogation face aux soins infirmiers et à l'action sanitaire en général: cela implique une recherche qui, pour être efficace, doit être partagée avec d'autres, quels que soient leur appartenance professionnelle et leur niveau de responsabilité.

Les parents, les éducateurs, les politiciens, les corps de métier, tous ceux qui ont une action de créativité dans cette société sont concernés dans leurs efforts pour une santé florissante.

Cette situation de transition que nous vivons aujourd'hui nécessite une réorganisation du comportement qui fait appel à un nouveau mode d'adaptation à tous points de vue. L'appel à vivre ou à mourir se fait de plus en plus pressant. N'est-ce pas une *crise de maturation* que nous avons à traverser tout au long de notre existence; et spécialement dans cette situation de stress qui s'intensifie de jour en jour?

Les différentes étapes de notre vie nous remettent constamment en face de cet équilibre à conserver:

- l'arrivée de l'enfant
- l'école, l'adolescence
- départ du foyer
- grossesse, ménopause
- divorce
- travail
- maladie
- déménagement
- argent
- retraite
- mort

Notre rôle en tant qu'agent de santé ne serait-il pas d'aider les gens à traverser la vie en réajustant constamment cet équilibre homéostatique face aux situations évolutives qui se présentent à eux? La valeur fondamentale de la santé ne serait-ce pas de permettre à l'individu de mener une vie plus heureuse en s'intégrant à son milieu?

En tant qu'agent de la santé nous devons comprendre mieux les besoins de chacun qui varient selon les facteurs socio-économiques, d'environnement et de culture. Et, c'est dans son milieu ambiant, au sein de la communauté, que l'individu trouvera les forces nécessaires à son évolution.

Vivons mieux, vivons longtemps en se rappelant sans cesse que SANTÉ = VIE et que l'homme qui est à son écoute peut ajouter de la vie à ses années.

GLOSSAIRE

Attitude   Disposition à l'égard de quelqu'un ou quelque chose; ensemble des jugements et de tendances qui poussent à un comportement. Ex: attitude à l'égard d'un problème, attitude critique.

Aptitude   Adresse - capacité - habileté - facilité - penchant - disposition naturelle

Asthénie   Diminution de forces d'origine nerveuse ou psychique.

Allégeance   Obligation de fidélité et d'obéissance envers une nation, un souverain

Comportement   Manière de réagir.
Ensemble des réactions objectement observables.

Concept   Représentation mentale générale et abstraite d'un objet. Idée.

Diurétique   Qui augmente la sécrétion urinaire.

Evaluer   Porter un jugement de valeur.

Homéostatique   Relatif à l'homéostasie, qui est une tendance des organismes vivants à stabiliser leurs diverses constantes physiologiques.

Hyperkinésie   Mouvements réflexes observés parfois dans les membres paralysés des hémiplegiques.

Hémiplégie   Paralysie complète ou incomplète frappant une moitié du corps entièrement ou partiellement

Mesurer   Opération qui consiste essentiellement à associer des symboles à des objets, à des évènements ou à des personnes selon des règles précises. Quantifier par comparaison.

Feedback   En cybernétique ou en psychologie, action de contrôle en retour.

Mesurer   Opération qui consiste essentiellement à associer des symboles à des objets, à des évènements ou à des personnes selon des règles précises. Quantifier par comparaison.

Métabolisme   Ensemble de transformations subies dans un organisme vivant par les substances qui le constituent.

Notation   Action, manière de noter, de représenter par des symboles; systèmes de symboles.

Organismique   De l'organisme vivant. Ensemble des organes qui constituent un être vivant.

Protoplasme   Ensemble du cytoplasme, du noyau et des autres organites vivants d'une cellule.

Promiscuité   Voisinage de personnes de sexe différent, de conditions, de nationalités diverses.

Stimulus   Facteur physique ou chimique capable de déclencher un mécanisme nerveux, musculaire, humoral, etc...

Symbiose	Existence simultanée et associée de deux ou plusieurs organismes qui vivent et se développent dans les mêmes conditions.
Sur moi	Formation inconsciente consécutive à l'identification de l'enfant avec ses parents, exerçant la fonction de censure à l'égard des pulsions instinctuelles, en les dirigeant vers des objets substitutifs.
Somatique	Qui concerne le corps.
Tissu conjonctif	Jouent un rôle de remplissage, de soutien ou de protection.

BIBLIOGRAPHIE

Volumes

A.I.I.P.Q., *Résultats finals de l'étude sur l'acte infirmier dans les différents centres de santé de la province de Québec,* Montréal, 1973.

Amado E., *La communication,* Paris: P.VF, 1969.

Assemblée nationale du Québec, *Projet de loi 273, Code des professions,* (P.L. 250), Projet de loi 65 et annexes, Loi sur les services de santé et les services sociaux

Auger, Lucien, *Communications et épanouissement — La Relation d'aide,* Édition de l'homme

Barbeau, Raymond, *Manger bien et rajeunissez,* Éditions de l'Homme, 1969.

Bélanger, Jean-Luc, *Médecine Préventive,* Solar Éditeur, 1972.

Bernard, P., *Le développement de la personnalité,* Paris: Masson 1968.

Bize, Paul-René, *Hygiène Mentale,* Édition Verviers, Belgique, Gérard, 1970.

Bize, Dr. P.R. et P. Goquelin, *L'équilibre du corps et de la pensée,* Marabout, service 1970.

Blackburn, M., *Comment rédiger un rapport de recherche,* Québec Léméac, 1974.

Blake, Florence, *Santé et équilibre de l'enfant de 3 ans à l'adolescence,* 1968.

Bloom, Benjamin, *Taxonomie des objectifs pédagogiques,* Tome I, domaine gognitis, Éducation nouvelle, Montréal

Bourque, Paul N., *L'implantation de rôles nouveaux en nursing,* Document de travail O.S.S. Ministère de l'Éducation, septembre 1974.

Byrue, Majorie L. Thompson, Lida F., *Key concepts for the study and practice of Nursing,* The C.V. Mosby Co., St-Louis 1972.

Chandard, Paul, *L'accueil,* Ed. Universitaire. 1971.

Chaput, Marcel, *Le Sauveteur Tony, Dossier*

pollution, Montréal, Ed. du jour, 1971.

Claveau, Paul, *Médecine préventive et hygiène publique,* Québec: P.V.L. 1966.

Corneau, André-Gaétan, *Les préoccupations légales de l'infirmière des années 1978.*

Cotinand, Olivier, *Éléments de psychologie pour l'infirmière,* Le centurion, Sc. humaines, Paris 1967.

Critère, Distributeur exclusif pour le Canada: Diffusion Dimedia inc., juin 1976.

Dabrowski, Kazimierz, *Le dynamisme des concepts,* Les Éditions Saint-Yves Inc. 1972.

Dale Arbie, PH.D. *Biorhythm,* Éditions Pocket Books, A Gulf Western company, New-York, 1976.

Erickson, Erick. H., *Enfance et société,* Suisse: Delachaux et Niestlé, 3ième éd.

Ferguson, Marilyn, *La Révolution du Cerveau,* Éditions Calmann-Lévy 1974.

Forgues, Marie, *Le troisième âge,* Paris: Mame 1967.

Forole, Charlotte, *Comprendre les besoins humains,* Paris: Centurion 1967.

Johnson, Mae M. et Coll., *Problems in nursing practice,* Ed. Brown, 1970.

Gagné R., *Pour que l'homme vive,* Essai sur la santé. Collection Points d'appui, Ed. Ouvrières 1973.

Gagné R., *L'homme sain ou malade,* Les Éditions Intermonde, 1967.

Gagné Rolande, Éditeur. *L'acte médical et les soins infirmiers,* Les éditions Intermonde, Montréal 1971.

Gagnon Jean-Marc, Françoise Savard, *Histoire du nursing,* Éditions du Renouveau pédagogique 1970, Montréal.

Gagnon R., Lamothe J., *Soigner c'est vivre un défi quotidien,* Chicoutimi: Ed. des Sc. Modernes 1970.

Grant-Veillard, SIM, *Santé et vie moderne,* Larousse Paris, 1967.

Holmes, Ernest, *La science du mental*, 1ère et 2ième Tome, Paris: Édition Dangles, 1972.

Illich, Ivan, *Némésis Médicale, L'expropria-tion de la santé*, Éditions du Seuil, 1975.

Jourard, Sidney, *La transparence de soi*, Éditions St-Yves Inc., Québec 1974.

Kulin, Barbara, *Élargissement du rôle de l'infirmière*, A.I.I.P.Q.

Laserre, Robert, *Yoga et diététique d'Extrême-Orient*, Études d'Extrêmes Orientales, Paris, Chiron, 1965.

Lemaire, J.G., *La relaxation*, Paris: Payot.

Levine, Abdelah, *Better patient care through nursing research*, Éditions Collier-mac millan, Canada Ltd., Toronto, 7th Edi-tion, 1971.

Linton, R., *Le fondement culturel de la per-sonnalité*, Paris: Dunod 1968.

Little, D.E., Carnelli, D.L., Boisvert C., *La planification des soins*, Éditions du Re-nouveau pédagogique Inc., Montréal, 1973.

Lowen, Dr Alexandre, *Le plaisir*, Ed. du jour, Coll. Vivre, 1976.

Mailhot, B., *L'acceptation inconditionnelle d'autrui*, Québec: A.I.C.C. 1965.

Maslow, A.H., *Motivation and Personality*, New-York: Harper and Row, 1954.

Mongeau, Dr. Serge, *Comment garder votre santé*, Ed. du Jour, 1970.

Montaby, L., *La santé et la vie*, Ed. Courrier du livre, 1965

Murphy, Dr. Joseph, *La puissance de votre subconscient*, Éditions du jour, 1973.

National Commission for the study of nur-sing and nursing education *from abs-tract to action*, Editions McGraw-Hill, Inc. Montréal, 1973.

Niestlé Piaget, Sam. *Les impondérables sources de santé* (l'homme et ses pro-blèmes), Neuchâtel, Delachaux et Nies-tlé, 1965.

Nursing Development Conference Group, *Concept formalisation in Nursing*, Pro-cess and Product by Nursing Develop-ment Conference Group.

Orem, Dorothy E., *Nursing: Concepts of practice*, Toronto McGraw-Hill, 1971.

Orlando, Ida Jean, *The discipline and tea-ching of nursing process*, (An evaluation study), New-York, Putnam 1972.

Pepleau, Hildegarde E., *Interpersonal Rela-tion in nursing*, N.Y., G.P. Putnam's Sons, 1952.

Perette, André, *Liberté et relations humaines ou l'importance non directive*. Éditions Epi, Paris, 1967.

Québec (Province), Commission d'enquête sur la Santé et le Bien-Etre social, *Rap-port*. Québec, Éditeur officiel du Qué-bec, 1967.

Reich William, *La surimposition cosmique*, Ed. Payot Paris.

Rheault, M. Claire, *Le nursing. Aspects fon-damentaux des soins*. Ed. du renouveau pédagogique, 1974.

Rogers, Carl, *Le développement de la per-sonnalité*, Paris: Dunod 1969.

Rosney, de Joël, *Le macroscope, Vers une vi-sion globale*, Éditions du Seuil, 1975.

Saint-Yves, Aurèle, *Pédagogie des relations humaines*, Montréal: Ed. du Renouveau pédagogique, 1969.

Sambucy, Dr. A. de, *Gymnastique corrective vertébrale*, Les Éditions Dangles, Paris, 1973.

Savard, F., *Hygiène, santé, bien-être*, Mon-tréal, Ed. du Ren. pédagogique, 1968.

Tocquet, Robert, *Vivez rythmiquement*, Édi-tion Planète, 1971.

Zunise, Léonard et Nathalie, *Contact*, Les Éditions de l'Homme, 1975.

Périodiques

Arcand, Lisette, "Pour répondre à des besoins nouveaux", *L'infirmière Canadienne*, Juillet 1973.

Besel, Lorine, "Le Moi secret et le Moi professionnel", *L'infirmière Canadienne*, Décembre 1974.

Blais, Nicole, "Le nursing communautaire", *L'infirmière canadienne*, 1972.

Charbonneau, G., "Les exigences de la profession", *L'infirmière canadienne*, 1966.

Cramer, Putnam, "Socialisation et personnalité de l'infirmière", *Bulletin des infirmières catholiques du Canada*, Juillet-Août-Septembre 1972.

Dutrissac, C., "L'infirmière face aux droits de l'homme", *B.I.C.C.* 1968.

Grantham, D.H., "L'humanisation dans l'évolution actuelle des services de santé", Bulletin des Infirmières catholiques du Canada, Janvier-Février-Mars 1973.

Harvey, J., "Foi et dynamisme, engagement et participation", *L'infirmière cana-dienne*, 1966.

Jahoda, M., "La profession infirmière, profession libérale", *L'infirmière cana-dienne*, 1961.

Lapointe, Maurice, "Que sont les relations humaines", *L'hôpital d'aujourd'hui*, Montréal, Septembre 1968.

Légaré, Nicole P., "Le rôle élargi donne un sens d'accomplissement", *L'infirmière canadienne*, Ottawa, Octobre 1973.

Marchak, Nicole, "La pratique rationnelle du nursing", *B.I.I.C.* 1970.

Mussalem, Helen, "Des responsabilités accrues... que sera la prochaine étape?", *L'infirmière canadienne*, Ottawa, Juin 1971.

Robitaille, Claude, "L'infirmière et la nouvelle société", *B.I.C.C.* 1971.

Roy, Imilda, "Les effets d'un nursing personnalisé sur la perception des clients relativement à leur expérience de soins en consultation externe", *L'infirmière canadienne*, Ottawa, Mai 1973.

Quelques périodiques concernant la santé

— American Journal of Nursing

— Bulletin de psychologie

— Bulletin des Infirmières catholiques du Canada

— Concours médical

— Hôpital d'aujourd'hui

— Homme sain

— Hygiène mentale au Canada

— Instantanés médicaux

— L'infirmière canadienne

— Nursing

— Psychologie

— Revue de la psychologie appliquée

— Revue de l'infirmière

— Soins

— Vérité et vie

APPENDICE

COMMENT CALCULER VOS BIORYTHMES?

Il est relativement facile d'effectuer les calculs pour l'établissement de ses propres biorythmes. En premier lieu, il faut compter le nombre de jours vécus depuis sa naissance. Pour y arriver vous multipliez votre âge par 365, vous y ajoutez les jours supplémentaires pour les années bissextiles. Et, par-dessus, vous comptez le nombre de jours écoulés depuis votre dernier anniversaire de naissance.

Prenons l'exemple d'une personne née le premier septembre 1945, ce qui lui donne l'âge de 30 ans. Vous multipliez 365 jours par 30 ans, ce qui donne un premier nombre de 10 950. Vous y ajoutez les années bissextiles. Dans trente années, on en compte sept, soit 30 divisé par 4. Vous ajoutez 7 à 10 950, ce qui fait un premier total de 10 957. Reste à ajouter le nombre de jours écoulés depuis l'anniversaire. Situons la date du calcul au 13 octobre 1975; ce qui donne un solde de 29 jours pour septembre et 13 jours pour octobre, soit 42 jours qu'on ajoute à 10 957. Cela donne un grand total de 10 999 jours vécus. Pour trouver les trois cycles, il suffit de diviser ce nombre par 23 pour le cycle physique; par 28 pour le cycle émotionnel et finalement 33 pour le cycle intellectuel.

Dans le cas présent, cette personne aurait vécu 478 cycles *physiques* et elle se trouverait dans la cinquième journée de son actuel cycle physique, soit en période ascendante.

Pour le cycle *émotif*, il faut diviser par 28. Cela donne 392 périodes et cette personne vit en ce moment la 23e journée d'un cycle émotionnel, donc en période dépressive.

Pour trouver le cycle *intellectuel*, il faut diviser par 33, ce qui donne 333 périodes intellectuelles. Cette personne vit donc la 10e journée d'un cycle intellectuel, soit en période ascendante.

En résumé, cette personne se trouve en bonne forme physique et jouit de toutes ses facultés intellectuelles, mais est susceptible d'avoir des problèmes d'ordre émotif.

COMMENT ÉVALUER LES RÉPERCUSSIONS?

Deux périodes de durée identique forment chaque cycle; la première est positive et profitable alors que la deuxième est négative et dangereuse.

Le cycle physique affecte le comportement physique sous diverses formes: endurance, résistance, confiance en ses propres forces et énergie.

Le cycle émotionnel, qui émane du système nerveux, affecte le comportement émotif de diverses façons selon la période ascendante ou dépressive. Dans la première moitié du cycle, le sujet bénéficie d'un esprit créateur et coopératif et recherche l'amour alors qu'un période dépressive il perd confiance en lui-même et aux autres et il souffre d'un esprit critique et méfiant.

Le cycle intellectuel vient du cerveau même. Dans la première moitié, le sujet bénéficie d'un esprit de synthèse et d'analyse alors que dans la seconde période il éprouve mille difficultés, toute réflexion profonde devenant pénible.

Les recherches se poursuivent toujours en ce domaine et certains scientifiques entrevoient le jour où, grâce aux biorythmes, il sera possible de déceler les périodes dangereuses pour les crises cardiaques. Certains prétendent même qu'il y aura possibilité de prédire le sexe de l'enfant à naître.